# BCG流 調達戦略

## 経営アジェンダとしての改革手法

# procurement as a strategy

ボストン コンサルティング グループ
調達チーム——［編］

BOSTON CONSULTING GROUP

日本経済新聞出版

# はじめに

売ることよりも、買うことのほうが難しい時代が来ている。

私たちボストン コンサルティング グループ（ＢＣＧ）は、数多くのクライアント、特に経営層に対して、重要な経営アジェンダに関わる支援を行ってきた。調達関連では、毎年グローバルで約４００件、日本でも30～40件のご支援に取り組んでいるが、近年感じるのが、相談の質が変わってきていることだ。簡単に言うと、課題がより複雑になり、より企業の競争力に直結する、重要なアジェンダになってきている。調達部門のみならず、社長や経営企画部門からの調達に関するご相談も急増している。

営業、設計、生産部門がバリューチェーンの主役であり、調達部門は決まったものを、なるべく安く買っておけばいい——そのような時代は既に終わっている。調達を取り巻く環境の複雑性は急激に高まっており、それに対応する組織能力は、競争力に直結する。

インフレ環境下、コストを抑えなければならない。天変地異や疫病のリスクが高まる中、供給の安定性が求められる。コロナ禍で供給にどんな影響があったか、まだ記憶に新しい。地政学リスクは、ますます現実的な論点となっている。サプライヤーの品質問題はあってはならない。加えて環境や人権対応などのサステナブル調達対応まで求められる。以前と比べて、注視すべきＫＰＩ（重要業績評価指標）は非常に多岐にわたり、しかもこれらの要素は、トレードオフの関係にあることが多い。

さまざまな重要要件をすべて満たすサプライヤーは貴重であり、そこからの調達確保は競争である。供給リスクの解決のために、設計変更まで行われることもある。また、不適切なサプライヤーとの取引は、顧客を失うリスクと直結している。調達に関わる選択の1つひとつが、将来の競争力を決定づける重要な一手である。

そもそも、企業のバリューチェーンにおいて、外に「開かれている」機能は営業と調達だけである。調達部門には外からさまざまな情報が入ってくる。競合は何をどう買おうとしているのか。競合はサプライヤーとどう付き合っているのか。生産性向上や研究開発、原材料における新しいイノベーションの種は、などだ。そう考えると、調達がうまく情報をバリューチェーンにフィードバックすることが競争上重要なのは当然である。また、外注か内製か、買う際に何を重視するか、など、戦略上の検討オプションは多い。したがって、グローバル企業では、調達は非常に戦略的重要性の高い機能とみなされ、Chief Procurement Officer（CPO、最高調達責任者）からCEOへ、というパスも増えてきている。

翻って日本企業においては、これほど重要な機能であるにもかかわらず、調達に対する経営者の理解、重要度の認識はまだまだ低い。調達は比較的単純な業務だと勘違いされている側面がある。調達部門側も、なかばあきらめにも似た感覚で、「どうせ経営はわかってくれない」と、目の前の業務に取り組む。しかし、いざ原料供給問題や価格高騰、サプライヤーリスクなどの問題が顕在化した際には、その要因が必ずしも調達部門だけに帰するものではなく、かつ調達だけで解けるわけでもない課題であるにもかかわらず、調達がやり玉にあげられる。もちろん調達部門も、新しい調達の課題に対応するために、これまでのプロセス、組織体制、人材ポートフォリオから、大きく進化する必要があるのだが。

本書では、まず1章で調達をめぐる困難な状況について、マクロの視点から見ていきたい。2章では、そうした環境下でグローバル企業の調達部門に求められる役割と、その提供価値の進化の方向性について、先進事例を紹介しながら考察していく。3章では、日本企業に視点を移し、今どのような状況に置かれているのか、現場の視点を交えてお伝えする。4章では、調達のあるべき姿について俯瞰的な視点で整理し、あるべき姿を実現するには、どのような段階を経て進めていけばよいか、私たちの考察を述べてゆく。

なお、本書には日本企業の支援経験から得た知見を数多く盛り込んでいるが、いずれも特定の企業の例ではなく、多くの日本企業に共通の状況や取り組みを抽出した記述であることを申し添えておきたい。

調達機能の重要度とそれに対する理解度のギャップが、かつてないほど大きくなっている、この状況こそが今、そして今後の、企業における調達機能向上に向けた取り組みの出発点である。本書は、このギャップを明らかにし、調達の重要度をしっかりと理解していただくことを目的としている。そして、理解だけでなく、アクションにつながり、日本企業の調達機能が競争力向上の強力なドライバーへと進化するきっかけになることを願っている。

ボストン コンサルティング グループ（ＢＣＧ）
マネージング・ディレクター&シニア・パートナー
ＢＣＧオペレーション・プラクティス 北東アジア地区リーダー
内田康介

# BCG流　調達戦略　目次

# 1章 調達をめぐる環境の変化

［コラム］——調達機能の進化の歴史 46

# 2章

# 調達機能を通じた競争力強化

# 3章

# 周回遅れの日本企業

# 4章

# 日本企業が取り組むべき調達トランスフォーメーション

# 1章

# 調達をめぐる環境の変化

調達に携わる方々は、ここ数年で業務の難易度が格段に高まってきていることを肌で感じているだろう。

長きにわたるデフレ環境下では、調達機能は発注部門の求める品質を担保したうえで、コストを最適化するなど、限られた要素を念頭に置いて、主に1次サプライヤーからどう買うかに対応していれば一定の役割を果たせていた。しかし、従前から重要な課題であった調達コストの抑制や調達安定化の難易度は、インフレやサプライチェーンリスクの増大により著しく上昇している。そこにESGという新たなチャレンジが覆いかぶさり、「コスト」「安定調達」「ESG」という3つの要素のトレードオフの関係へと変質してきているためだ。

この章では、調達をめぐる環境の変化をマクロの視点で整理し、「コスト」「安定調達」「ESG」のトリレンマともいうべき状況の背景を明らかにしたい。

## 調達をめぐる「トリレンマ」とは

調達部門の業務は、事業部門の求める品質の部材や部品を、価格とのトレードオフをマネジメントしつつ、必要な期日までに購買・調達することだ。その従来の業務特性から、企業活動に必須ではあるが、能動的な変化やイノベーションとは無縁の部門と思われがちだ。

しかし今、この調達が、大きく変化する事業環境とのせめぎあいの最前線に立たされている。まず、パンデミックがサプライチェーンのあり方に関する考え方を根底から覆した。さらに、ロシアによるウクライナ侵攻やチャイナリスクの顕在化など、国際情勢の急変がそれに続いた。これにより物価のボラティリティ（変動率）が、これまでとはかけ離れたレベルへ高まるとともに、インフレ圧力が強まっている。さらには、サプライチェーンの複雑化とそれを取り巻く環境変化が、安定的な調達を著しく困難にしている。加えて、ESGやサステナビリティに対するステークホルダーからの要請も高まっている。

企業はこれらすべてに対応する必要があるが、この3つの要素は、ジレンマならぬ、三

図表 1-1
**近年の調達環境を取り巻くトリレンマ**

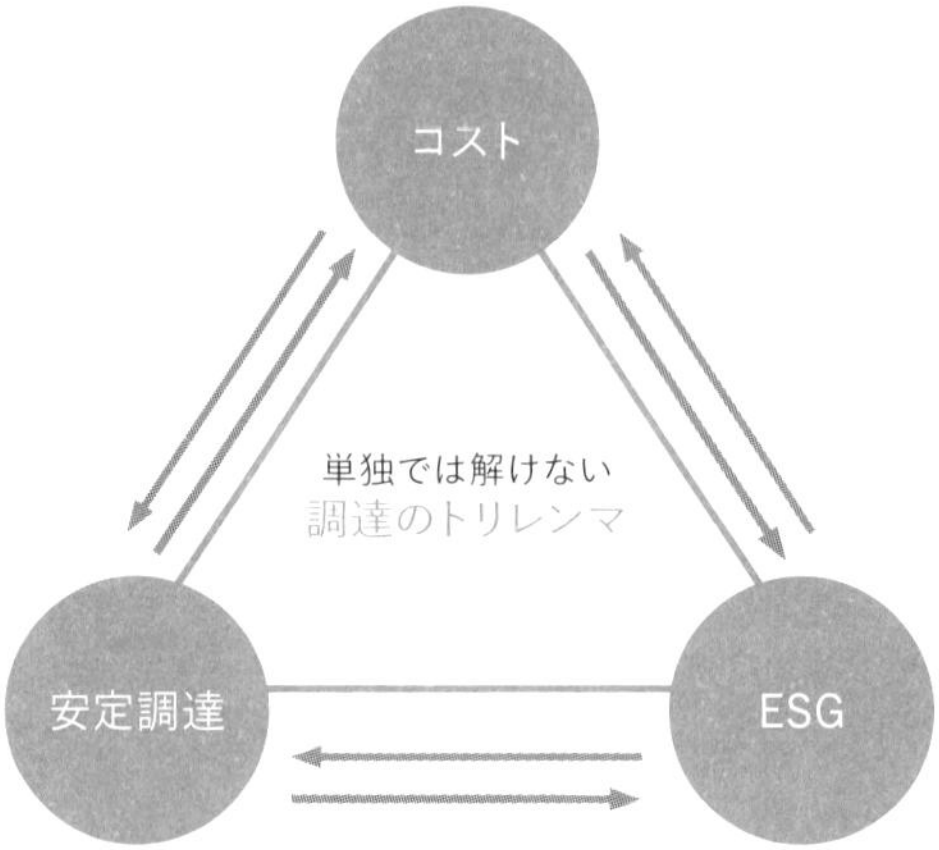


出所：ボストン コンサルティング グループ

つどもえの「トリレンマ」の関係にある（図表1－1）。

例えば、衣料品メーカーが繊維素材を調達する際、安定とESGを考えれば国内の複数の企業からリサイクル素材や人権対応に配慮済みの素材などの原材料を調達するのが望ましい。しかしその場合、コストが上昇することになる。

コストを抑えながら安定調達を実現しようとするとESG対応がおろそかになり、ESGに十分対応しながらコストを抑えようとすると安定調達は難しい、というトリレンマに陥っている。さらに、トリレンマの要因は相互に関連しあっていることから、実態はさらに複雑だ（図表1

図表 1-2
**環境変化要素が多様化・複雑化し、トリレンマ構造を生じさせている**

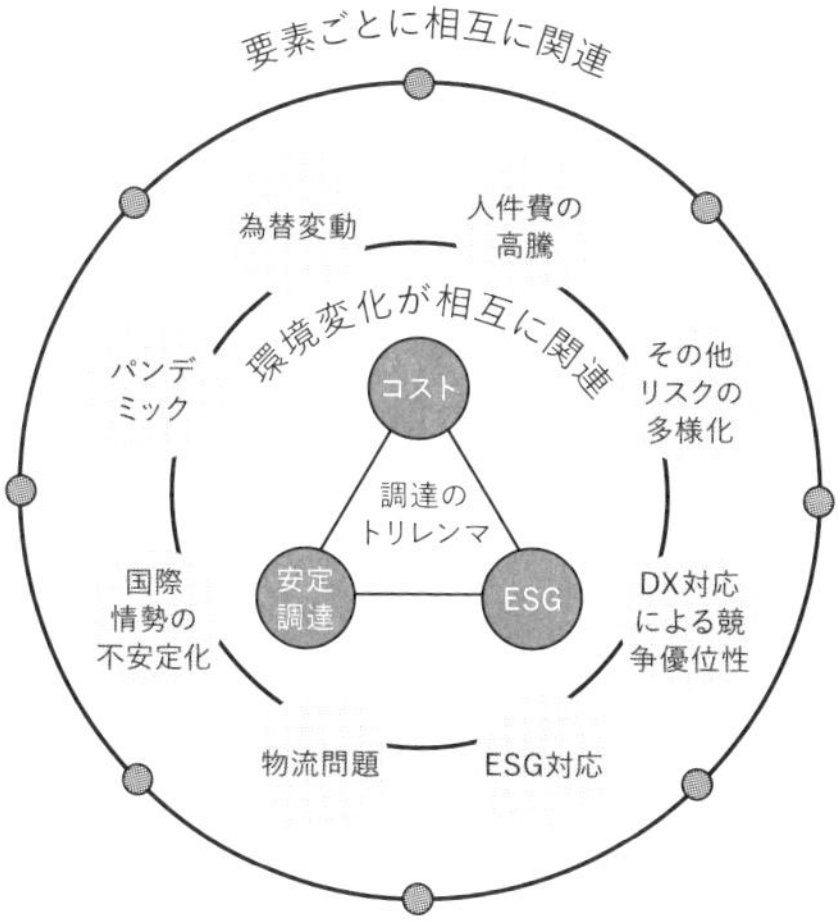


出所：ボストン コンサルティング グループ

| ○ 環境変化 | ● 環境変化を引き起こす要素の例 |
|---|---|
| 人件費の高騰 | 海外人件費の急激な高騰、IT等の専門人材不足による高騰、インフレ影響による人件費の高騰 等 |
| 為替変動 | 急激な円安（原価と売上に色濃く影響） |
| パンデミック | サプライチェーンの再構築、消費者行動の変化 等 |
| 国際情勢の不安定化 | チャイナリスク、紛争リスク、米中対立 等 |
| 物流問題 | 物流需要の増加、物流人材不足、法改正の影響 等 |
| ESG対応 | 環境（カーボンニュートラル、サーキュラーエコノミー等）、人権対応、コンプライアンス対応 等 |
| DX対応による競争優位性 | 業務効率化、意思決定の迅速化 等 |
| その他リスクの多様化 | サイバーリスク、気候変動、自然災害 等 |

－2）。

本章ではまず、このトリレンマの背景について解説したい。

## 高まる物価のボラティリティとコスト上昇圧力

パンデミックや国際情勢の不安定化、人件費の高騰、為替変動などにより、調達コストの変動はスピード、大きさともにかつてないほど高まり、加えてインフレ圧力も高まっている。コスト上昇の要因は幅広い要素にわたり、相互に影響していることから、切り分けて解説するのが難しいところもあるが、1つひとつ見ていこう。

## コスト上昇を招く要因：パンデミック、地政学リスク、人材不足……

コスト上昇の1つ目の要因は、パンデミックだ。パンデミックについては何年も前から多くの識者が懸念を表明してきたが、それが新型コロナウイルスの感染拡大で一気に現実化し、調達コストへの影響がいまだに色濃く残っている。

まず、パンデミック発生後、製造工場の閉鎖や輸送の制限により、原材料や製品の供給が不安定になり、製造業では調達安定化のために高コストを甘受するか、生産停止を受け入れるかを選ばなくてはならない事態に陥った。加えて、パンデミックを踏まえたサプライチェーン再構築コストを価格転嫁せざるをえず、その影響は現在にわたり続いている。コロナ禍の影響は薄れても、グローバル化や地球温暖化により、世界的な感染症の発生間隔は短くなると見られ、もはやブラックスワン（黒い白鳥、確率は低いが、起きれば影響が大きいリスク）という位置づけにはできない。今後も備えを固める必要があろう。

次に、近年の地政学リスクの顕在化が挙げられる。国際情勢が不安定化すると、輸出入制限や関税の引き上げによって調達価格が高騰したり、物流経路の寸断に伴い調達先の変更を強いられたりすることで、より価格の高いサプライヤーに切り替えざるをえない事態も生じる。2022年に始まったロシアのウクライナ侵攻では、輸出入制限や徴兵による労働力の逼迫などにより資源価格が急騰し、当該地域から原料を調達している企業は光熱費や製造原価の値上げを余儀なくされ、販売価格転嫁への対応に迫られた。

例えば、電子部品産業や航空宇宙産業はレアメタルやチタンなどの資源不足に苦しめられた。小麦をはじめとする食品原料や製造部品など、ロシアやウクライナへの依存度が高い原材料の調達懸念が強まったほか、自動車産業で重要な鉄鋼製品や鉄鉱石も高騰した。これらの影響は数年続くと考えられる。さらに、波及効果もある。ロシア、中国をはじめ世界の各地域において地政学リスクが想定される中でサプライチェーンの国内回帰や再編も議論され、その価格転嫁の形でも調達価格に影響を与えるためだ。

人件費の高騰も注視が必要である。近年は海外を中心に人件費高騰が続いており、人材の逼迫に伴い、国内の人件費も海外ほどではないが上昇している。今後も上昇が続く前提で計画を練っておく必要があるだろう。

また、$CO_2$排出量に関する規制もコストに影響を与える。ＥＵの欧州委員会は、新車として販売されるトラックの排出量を２０４０年までに２０１９年比で90％削減する$CO_2$排出量規制案の暫定的な政治合意に達している。これにより、トラックやバスなどの商用車両を、より高効率かつ低排出ガスの車両に切り替えていく必要が生じる。これらの導入費用の輸送価格転嫁も想定しておくべきだろう。

日本企業に大きな影響が出ているコスト要因もある。まずは、為替変動だ。特に、海外売上比率が低い企業にとっては、長引く円安傾向がもたらす調達価格の上昇が企業の利益減少に直結するため深刻だ。

加えて、国内の物流の人材不足も大きな課題だ。人口減少・少子高齢化に伴い、トラックドライバーや物流従事者が減少しており、時間外労働の上限規制も物流危機を引き起こす要因として懸念されている。パンデミックを経て生じた消費者の行動変容による物流需要の増加や、物流業者の供給可能枠の減少による値上げは避けられない。物流業者との良好な関係を維持・継続するためにも、一定の値上げ要請は受け入れざるをえない状況だ。

## コストへの影響

これらの要因が調達価格を押し上げていることは、関連マクロ経済指標から見ても明らかだ。総務省などの統計によれば、２０２４年2月の消費者物価指数は２０２０年比で約7%、国内企業物価指数は約20%、輸入物価指数（円ベース）に至っては60%超の上昇を記録している。[注1]

ただ、費用項目別に見ていくと濃淡もある。特に原材料、電力、物流、役務などではこれらの影響が大きく、インフレの影響を抑制する取り組みができないと、企業の収益性・競争力に大きなハンデを負うことがわかる。

**原材料**：日本企業が調達する原材料の多くは輸入に頼っており、物流費の増加や、為替変動による影響を色濃く受けている。また国際情勢の不安定化により、調達先を今までより も価格の高いサプライヤーへ変更することを余儀なくされる状況も生じている。

**電力**：日本はエネルギー自給率が低く、海外から輸入する資源に大きく依存している。そのため、為替の影響や国際情勢の不安定化により調達先を変更せざるをえず、資源価格高騰の影響などを受けている。

**物流費**：消費者の行動変容による需要量の増加や、サプライチェーン再構築コストの価格転嫁、$CO_2$排出規制、物流の人材不足、時間外労働の上限規制など、多岐にわたる要因が積み重なりコストを押し上げている。サプライヤーとの継続的な取引関係を維持するためにも値上げは避けられない状況だ。

**役務**：海外ほどの急激な上昇ではないが、国内においても人件費単価が上昇している。特にＩＴなど専門性を有する役務サービスの人件費単価が上昇している。

一方、影響を大きく受けていない費用項目も存在する。通信費を例にとると、通信端末は海外からの輸入品となる端末メーカーからの仕入れでありインフレの影響を受けるが、通話・通信料は２０２４年時点では値下げが続いている。

これまで長らくデフレが続いてきた環境下においては、複数の取引先から相見積もりを取るなど、ある程度の競争環境を構築できていれば、極端な高値掴みは避けられていた。一方、現在のようにボラティリティが高く、インフレが継続する環境では、調達機能の熟練度を上げていくためのアクションが欠かせない。

費用項目ごとの需給状況や、調達先の原価の構造、原価の動きなどを見極めたうえで調達戦略を策定していく必要がある。

## 調達の安定性を損なう供給リスクの増大

パンデミックや地政学リスクは、コスト上昇につながるだけでなく、供給リスクの拡大を通じ、調達の安定化にも大きなインパクトをもたらしている。

企業を取り巻くリスクは、政治・経済・自然（気候変動・災害など）・犯罪・社会（ESG・消費者トレンドなど）と、枚挙にいとまがない。歴史をひもとけば、20世紀初頭のスペイン風邪や第2次世界大戦、東西冷戦、アジア・香港インフルエンザ、イラン革命、

図表 1-3
**調達をめぐるさまざまなリスク**

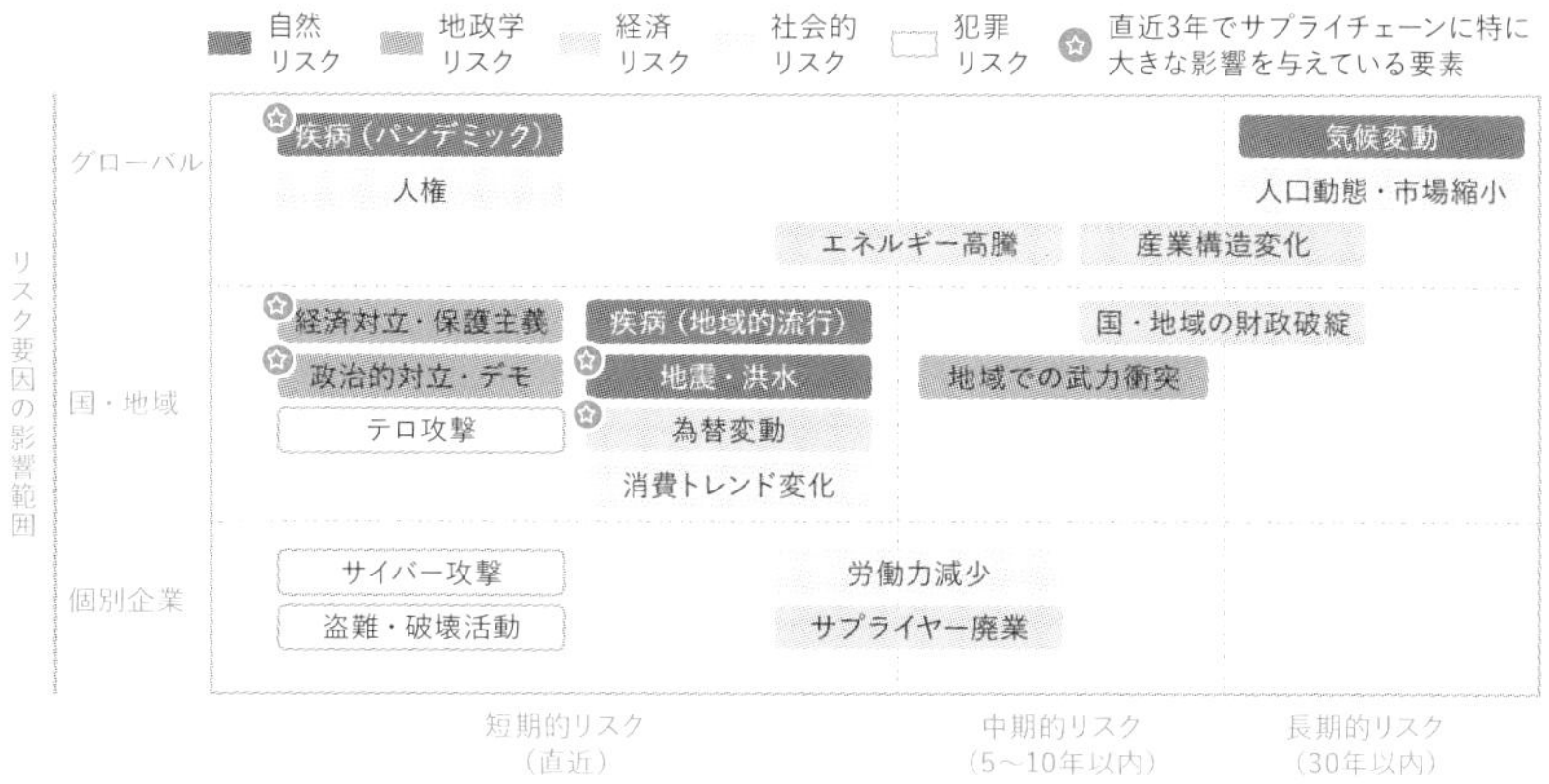


出所：公開情報、専門家・有識者へのインタビュー調査をもとにボストン コンサルティング グループ分析

また21世紀に入ってからは、2001年の米国同時多発テロ、SARS（重症急性呼吸器症候群）、鳥インフルエンザの感染拡大など、地政学リスクやパンデミックは製造・物流・調達にたびたび影響を及ぼしていた。

なぜ近年になってその影響が幅広くかつ、深刻になっているのか。それは、各産業のサプライチェーンが国境を越えた複雑な相互依存関係へと変容し、生産・消費の両面で依存度が高まっているためだ。パンデミックや紛争などによりサプライチェーンが寸断されると、各国の調達網にさらに重大な影響が生じることとなる。

こうした状況下で、従来の調達やリスク管理の考え方、手法では対応できず、各企業にとって各種リスクへの対応とそれによる調達の安定化が課題となっている（図表１－３）。安定調達を脅かす大きなリスクとして、感染症リスク、地政学リスク、自然災害リスクについて詳しく見ていきたい。

## 感染症リスク

新型コロナウイルスのパンデミックに対するロックダウン施策により、世界的な規模で生産・物流・人の移動が寸断され、サプライチェーンの混乱が生じたことは記憶に新しい。特に厳しい施策がとられていた中国への依存度が大きい国が多く、影響は甚大だった。結果として、供給遅延・物価高騰・物流費高騰を招き、パンデミック発生直後の２０２０年には、日本でも生産活動の停滞が数値としても顕著に表れた。日本の鉱工業生産指数は２０２０年3月には前月比で３・７％低下、４月には前月比で９・８％の低下を見た。業種別に見ると、特に輸送機械工業、鉄鋼・非鉄金属工業、汎用・業務用機械工業の生産への影響が甚大だった。[注2]

現在、その影響は収束しつつあるものの、世界的な感染症の発生間隔は短くなると考えられる。次のパンデミックを見据え、今後も備えを固める必要がある。

## 地政学リスク

２０２２年初頭からのロシアによるウクライナ侵攻では、欧米や日本によるロシアへの経済制裁と、それに対するロシアからの報復措置が、欧州を発端とし、輸送中断や輸送ルート変更、また原油などの資源供給の停滞、それに伴う国際金融市場・商品市況の大幅な変動を引き起こし、サプライチェーンに大きな混乱をもたらした。

ロシアとウクライナは経済規模としては世界に占める割合は大きくない。２０２１年の世界の名目ＧＤＰに占める割合は、ロシアが１・８兆ドルで世界11位（１・８％）、ウクライナは０・２兆ドルで同54位だった。しかし、ロシアは欧州との経済的なつながりが強く、さらに、石油・天然ガスなど世界的な食料・鉱物・エネルギー資源の輸出国の１つであることから影響が幅広く及んだ。たとえ国単体での経済規模が大きくなくても、特定の資源の主要産出国や物流上の要衝であれば、企業の複雑化したサプライチェーンが影響を受ける可能性があるといえる。

また、チャイナリスクも日本だけでなく各国の企業に大きな影響を与えうる要素である。１９８０年代以降、日本企業の多くは生産拠点の中国シフトを進めた。背景には、中国の労働力が相対的に安価で、原材料も安価に調達できたことがあげられる。特に２０００年代に入ってからは中国のＷＴＯ加盟による外資企業の進出自由化により、日本企業の進出がさらに加速化した。それらは日本だけの動きでなく、欧州・韓国の自動車メーカーの部

図表 1-4
## 中国リスクの例

| | |
|---|---|
| 政治に関するリスク | 欧米など成熟市場と異なる独自の政治体制、香港・台湾に関連する地政学的問題、米中対立、日中問題、地政学的緊張に関連する人権問題への疑い、高まるナショナリズム |
| 政策に伴うリスク | 政府による高レベルの市場介入、国有企業の規模と民間企業への影響力、外資系企業に対する優遇措置の解除、不動産不況の長期化、関税・非関税保護の強化 |
| 社会問題のリスク | 都市と地方との経済格差、環境汚染、少子高齢化 |
| セキュリティリスク | 国際データフロー管理の厳格化、データ保護法とプライバシー法の厳格化 |
| オペレーションリスク | 知的財産権保護、偽造品・海賊版の問題、汚職と賄賂の問題、パンデミックが再発した場合に起こりうる大規模かつ頻繁なロックダウン |
| 価格変動リスク | 人件費と原材料費の上昇、高齢化による労働力供給の減少 |

品供給など、各国が中国を主な生産拠点とする動きを進めた。また、急激な経済成長・市場拡大による中国国内市場自体の魅力の高さもあり、生産拠点だけでなく、各国の原料・製品の輸出先としても、中国への進出拡大は加速した。

しかし、中国には政治、経済、社会などの各側面で独自の課題があり、海外企業が活動するにはさまざまなリスクがある（図表1－4）。特に製造業の中国での調達（輸入）・生産・消費（輸出）の依存度が高まっている中で、これらのチャイナリスクをいかに回避・最小化しながら生産活動を行うかが、今後の調達安定化のカギの1つとなっている。

そのような状況下で、脱中国を検討する日本企業も増えている。品質問題などで以前から調達先を切り替える動きは出ていたが、2

020年の米中貿易摩擦を契機にこの動きがさらに進んだ。2022年11月に日本経済新聞が主要製造業100社を対象に行った調査（79社が回答）でも、緊張の高まる両岸関係、米中摩擦、ゼロコロナ政策とそれによる都市封鎖などのチャイナリスクを理由に、5割超の企業が調達先の中国比率を下げると回答した。代替先として9割が日本をあげている。業界別では特に機械、自動車、化学で中国比率を下げると回答した割合が高い。[注3] 日本に次ぐ代替調達先として、米国・タイ・ベトナムが続く。

だが、中国の代替調達先として考えられる各国にはそれぞれメリット・デメリットがある。例えば米国内に生産拠点を持つ企業は、米国内での調達に切り替えることにより海外からの輸送費・関税などの諸コストを抑えられるが、原料自体のコスト差を踏まえてトータルで安くなるとは限らず、サプライヤーそのものやサプライヤーにおける人材の確保も課題となっている。

また、タイやベトナムなどASEAN諸国は、日本から物理的に近く人件費も相対的に安価だが、将来的に賃金水準が上昇し、中長期的にはメリットが薄まるリスクがある。また、インフラが未整備であることなどにより、輸送費がかさむケースもある。

米国に生産拠点を持つ企業の代替調達先としてはメキシコが挙げられる。米国への輸送費が抑えられる一方で、同国内での原材料・部品調達は難しく、割高になるリスクも考えられる。[注4]

さらに、ロシアや中国だけでなく、その他の地域の地政学リスクも考慮が必要である。原材料・部品の調達先がグローバルに広がっている昨今、中東や東南アジアなど世界各国の情勢が日本企業の調達・物流に影響を及ぼし、サプライチェーンのクロスボーダー化を受けてその範囲は拡大・複雑化している。調達先の国が直接関わるリスクだけでなく、米中両国がアフリカと東南アジアでの影響力拡大を目指す中、複合的にリスクを検討する必要も生じている。

## 自然災害リスク

地球温暖化に伴い、近年、世界的に異常気象が続いている。特に北米における自然災害は商品の輸出や物流などのサプライチェーンに大きな影響を与えており、10億ドルを超える損害が出た災害の件数は1980年から2021年まで年平均7・7件、直近5年に限ると17・8件と増加傾向にある。[注5] 独ミュンヘン再保険は2022年の世界の自然災害の被害額を2700億ドルと推計したと報じられる。[注6]

自然災害は、主に農産物を中心とした商品の生産・輸出に大きな影響を与え、日本企業の調達にも影響が生じている。例えば、北米では天候不良によりトウモロコシや小麦、大豆などの生産量が不足し、日本を含む各国にとって調達が難しくなっている。それは価格にも表れており、シカゴ穀物市場では、ロシアのウクライナ侵攻を受けて急騰した小麦価格がラニーニャ現象によりさらに上昇し、２０２３年3月に約14年ぶりに過去最高値を更新した。世界での食料需要の増加も相まって食料の争奪戦が生じつつあり、食料価格の高騰は長期化する可能性も高い。

これらのリスクが今後も拡大・加速していくことはほぼ間違いない。これまで、調達の効率化における定石は、調達先の集約による規模の拡大であったが、今後は、特定サプライヤーとの取引に安住できない時代であり、多くのサプライヤーを分散管理する必要が生じている。

## 新しいチャレンジの出現――ＥＳＧへの対応

コストへの対応、リスク拡大への対応が難しくなったことに加え、新たに生じているチャレンジがサステナビリティ（環境や人権、企業統治など）への対応だ。長期視点での企業評価に軸足を置く投資手法として、環境：Environment、社会：Social、企業統治：GovernanceをテーマとしたＥＳＧ投資には、欧米の機関投資家がけん引する形で資本市場の注目が高まっている。ＥＳＧ重視の流れは、揺り戻しや調整はありつつも、長期的に進展していく大きなトレンドといえよう。

サプライチェーン関連では、$CO_2$排出量を低減した原材料の仕入れやサプライヤー企業の従業員の人権への配慮などが求められ、調達部門はＥＳＧ対応の最前線といえるだろう。ここでは、Ｅ、Ｓ、Ｇそれぞれについて昨今の状況を整理していく。

## 環境（Ｅ）――カーボンニュートラル対応

環境問題への取り組みはグローバルでは大前提となりつつあり、ビジネスに大きな影響を及ぼしている。欧州から始まったカーボンニュートラル化の動きだが、日本においても、政府が２０５０年のカーボンニュートラル化、それに向けたマイルストーンとして２０３０年度に46％削減（２０１３年度比）を目指すことを公表している。さらにエネルギー関連では排出量50％削減という道筋が示され、あわせて省エネ法の改正、企業間の協働を促す枠組み「ＧＸリーグ」の発足、再エネ価値取引市場の創設などの動きもある。

各企業も取り組みを本格化させているが、カーボンニュートラルには複数の論点があり、各企業は総合的に対応する必要がある。

企業が直接排出する温室効果ガス（例えば、製造プロセスに伴う排出量や社有車の排出量など）であるスコープ１や、電力消費などによる間接排出であるスコープ２は自社の生産活動に直結しているため比較的計測やコントロールがしやすいが、サプライチェーン上

図表 1-5

**SBT（Science Based Targets）における排出量見える化の対象**

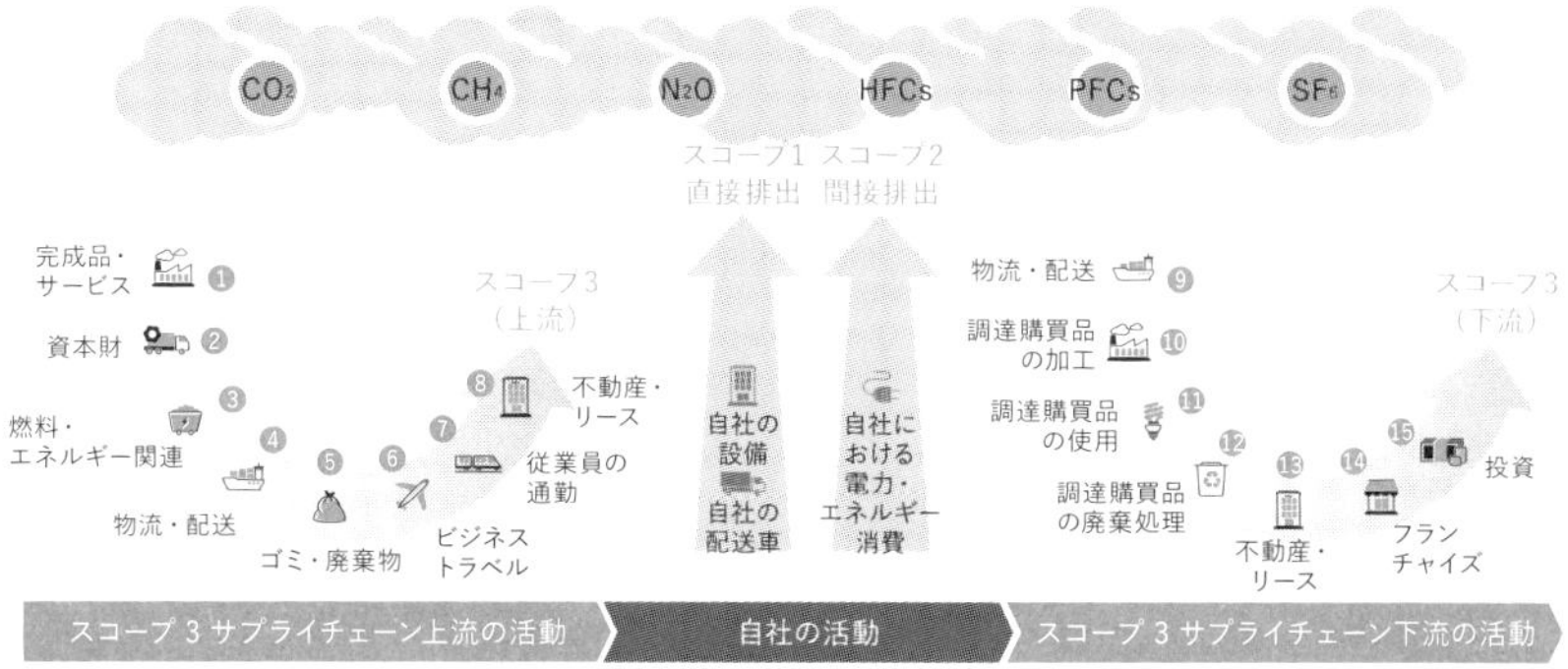


出所：グリーンバリューチェーンプラットフォームの資料を基にボストン コンサルティング グループ作成

の排出量であるスコープ3は取引先の排出量を把握・管理する必要があり、難易度が段違いに高い。だが、調達部門の業務と関連が深いのはこのスコープ3である（図表1－5）。

各企業はスコープ1、2への取り組みを進めており、先進的な企業は既に一定の結果を出しつつある。一方、スコープ3は、対象サプライヤー、内容、管理の粒度、データ取得の仕組みをどの程度まで詰めれば必要十分なのかなど、目標水準や基準が不透明であり、発注元の追加コスト・リソースの負担も課題となって、ほとんどの日本企業は未着手の状態である。

サプライヤー側では、特に中小企業はリソース・コストの問題がある、必要性をあまり感じていないというケースが多く、自主的に対応する素地がいまだ十分に醸成されていない。そのため、スコープ3の計測を行う必要がある発注元が、調達先サプライヤーや物流企業に対して$CO_2$排出量を開示するよう交渉する必要がある。またそれを管理する仕組みをつくり、全体を仕立てていくべきだ。

スコープ3に対し、調達部門が検討すべき打ち手の1つとして、グリーン調達の活用があげられる。グリーン調達とは、日本のグリーン購入法（国等による環境物品等の調達の推進等に関する法律）など、先進国各国のグリーン調達に関する法令、指針を順守した調達をいう。

各企業は、グリーン調達ガイドラインを提示し、環境対応として、原材料、部品、資材、サービスなどをサプライヤーから調達する際に、環境負荷の少ないものを優先する取り組みを進めている。例えば、日立製作所は、グリーン調達に関する調査要領を3つのグループ（1・環境保全活動の状況、2・納入品に関する環境負荷低減の状況、3．納入品の含有化学物質に関わる情報）に分け、上流サプライヤーを調査している。

そのビジネスメリットとしては、投資家、消費者や地域社会、納品先の企業、サプライヤーなどステークホルダーからの信頼の獲得・企業価値の向上や、特に海外における環境問題に関心がある層へのビジネスチャンスの拡大、突然の環境関連規制の強化によりビジネス機会を逸失するリスクの回避があげられる。

ただし、一般的にグリーン調達対応品は高価であり、コストと環境配慮のトレードオフの解決が求められるため、価格最優先だった従来型の調達より難易度が高い。環境負荷に配慮したサプライヤーを選定すると、相対的にコストが高くなる可能性が大きい。また部材によっては環境負荷を考慮したサプライヤーが少なく、品質・コストとのバランスをとることが難しい。加えて、企業として調達先のサプライヤーが環境負荷を低減するための新たな取り組みや投資が必要となる場合がある。

例えば、木材に関しては、EU木材規則（EUTR）により、EU市場に輸出する木材製品について、原材料の伐採地に関する合法性の確認が求められる。これに対応するため、木材製品のサプライヤーは、原材料の伐採地についての情報を収集し、サプライチェーン上で違法な木材が混入しないように管理することになり、木材製品の調達コストが増加した。一方で、違法伐採の問題が解決されることで、企業の社会的責任の向上や商品価値の向上が期待される。

企業のカーボンニュートラルへの取り組みを評価する基準として、削減貢献量を組み込む議論も進められている。削減貢献量とは、自社の技術や製品、サービスを使用した場合にどの程度の$CO_2$削減効果があったのかを推定する指標である。これは高い省エネ技術を持つ日本企業としては取り入れたい指標だ。ただ、発注元の観点でいえば、自社が購入した製品・原材料と現在使用している製品・原材料の$CO_2$排出量をよりいっそう正確に把握する必要が生じる可能性がある。

## 社会（S）――社会的公正へのコミットメント

ビジネスにおいて、社会的公正への取り組みの重要度は増している。調達において特に問題になるのが、人権問題だ。B to Bや対政府の取引条件に人権問題への対応が組み込まれ始めるなど、この流れは不可逆である。

2011年国連人権理事会で「ビジネスと人権に関する指導原則」が承認され、欧州を中心に国別行動原則の制定と法令化、ガイドライン策定が進められている（図表1－6）。さらに、消費者・取引先の人権問題に対する関心も高まっており、外国人移民労働者の不当待遇や児童労働などを契機とした不買運動などが拡大している。企業においては、取引先に対するサステナブル調達アンケートや取引先の自主監査、外部監査などによる、人権リスクの有無の確認が求められるようになってきている。

日本においては、欧州各国の行動指針や法整備を含めた対応義務化の動向に追随する形で、2020年10月に『「ビジネスと人権」に関する行動計画』が、2022年9月に「責任あるサプライチェーン等における人権尊重のためのガイドライン」が策定された。それらを受け、各企業の対応が急速に求められるようになった。

人権問題への対応を誤れば、投資家からの評価が低下して資金調達に影響が出たり、調達先のリスク顕在化により企業価値が毀損したりするなどの影響も起こりうる。これが実

図表 1-6
## 人権デューデリジェンスの義務化に関する動向（欧州の一部の例）

| 国 | 法律・計画名 | 内容 |
|---|---|---|
| EU | 企業サステナビリティ・デューデリジェンス指令 | 企業に対して、企業活動における人権や環境への悪影響を予防・是正するためのデューデリジェンス指令案。2023年12月に政治的暫定合意に達した後、成立に向けた議論が重ねられている |
| イギリス | 英国現代奴隷法（2015年） | 英国で事業活動を営む年間売上高が3,600万ポンド以上の企業などに対して、年次で事業活動とサプライチェーンにおける現代奴隷制への対策について声明を開示する義務 |
| フランス | 企業注意義務法（2017年） | フランス国内に本社を置く従業員5,000人以上の企業、またはフランス国外に本社を置く従業員10,000人以上の企業に対して、自社の事業活動に伴う人権リスクについてデューデリジェンスを実施し、対応策を公表する義務 |
| ドイツ | サプライチェーン法案（2021年） | ドイツに拠点を置く従業員1,000人以上の企業、または従業員1,000人以上の外国企業のドイツ登録支店に対し、サプライチェーンにおける人権及び環境問題に関するデューデリジェンスの実施を義務化 |
| オランダ | 児童労働デューデリジェンス法（2019年） | 国内の消費者に対して物品やサービスを販売する、国内外のすべての企業に対して、サプライチェーン上における児童労働に関するデューデリジェンスを実施し、実施した旨の声明を当局に提出する義務 |

出所：各種公開資料よりボストン コンサルティング グループ作成

質的な財務リスクにつながる可能性も高まっており、企業としては看過できない。

しかしこの問題は、従来の枠組みでは検知が難しく、大手企業でもたびたび問題となっている。海外でも、調達先の工場での過剰労働や劣悪な労働条件、安全対策の不徹底、児童労働などの人権問題が発生し、発注元企業側が調達先のサプライヤーに対する徹底した労働基準の提示・導入や監視体制の強化、調達先の労働環境の改善などの対策を迫られている。2次調達先以降のサプライヤーも含め、人権問題に対する順守状況を管理し、サプライヤーを切り替えることなどで対応していく必要がある。多岐にわたるサプライヤーのすべてをカバーするのは難しく、主要原材料、調達金額上位のサプライヤーから取り組むなど優先順位づけは必須といえる。

一方、人権問題への対応は、企業価値・売上に対する短期的なリスク回避のみならず、中長期的に持続可能な調達網を構築することにもつながるためおろそかにはできない。

なお、国内でサプライチェーンが完結している企業や海外売上高比率が低い企業は対応しなくていい、または劣後でよい、という声も聞かれるが、対応の要否やレベルを見極めるにあたっては対投資家・対消費者の視点で見極めるべきだ。例えば、海外投資家比率が一定以上を占めている場合は、投資家からの評価対策として対応が迫られる。また、取り組みを積極的に情報開示することが消費者への価値訴求となって売上につながることも考えられる。主な受注先が国内メーカーである中小企業などは優先順位が低くなる可能性があるため、発注元が必要性を的確に説明し、理解と共感を得ながら協力体制を構築する必要がある。

## ガバナンス（G）——品質不正への取り組み

ガバナンス関連のうち、調達に与える影響が最も大きい課題が品質不正だ。昨今、国内外を問わず、大手企業の検査・品質データの改竄《かいざん》などの不正の露見が頻発している。背景

図表 1-7
## 業種によるサプライチェーンの特徴

| | 自動車 | 電機・半導体 | 機械 | 製薬 | 小売・物流 |
|---|---|---|---|---|---|
| サプライチェーンの特徴 | 取引先の階層が深く、複雑性が高い<br>重厚長大な商品で、設備投資回収、物流コストが重要となる | 取引先の階層が深く、複雑性が高い<br>製造の大規模投資・先端技術獲得が重要となる（特に半導体） | 自動車と同様、複雑性が高い<br>自動車より生産量は少なく、より設備投資回収が重要となる | 取引先の階層は比較的浅く、短い<br>製造・調達において、規制・認証対応が制約となる | 取引先の階層は比較的浅く、短い<br>サービスを提供する上で、市場アクセスが重要となる |
| サプライチェーンの単線化・集約化 | 国際分散<br>•重厚長大で、基本的に現地調達・生産<br>•一部基幹部材はグローバル数カ所で生産 | 調達・生産集約<br>•コスト・技術の観点から、生産を東アジア（台湾、中国本土）に集約 | 国際分散<br>•基本現地調達・生産だが、生産数によって一部地域別集約<br>•一部基幹部材はグローバル数カ所で生産 | 調達・生産集約<br>•品質管理・認証の観点から、基本的に調達・生産を国内に集約 | 調達・流通集約<br>•市場アクセスの観点から、基本的に地域内、もしくは国内に調達、流通を集約 |

出所：ボストン コンサルティング グループ

としては、コスト競争激化による生産・品質検査工程へのコスト削減圧力や、工程が複雑化・自動化されることで検査も複雑になっていることが考えられる。

さらに、調達先の複数階層化・グローバル化により、発注元企業のサプライヤー管理・品質管理はより困難になっている。問題発覚時の影響範囲も拡大しており、対策が急務である。実際、1次サプライヤーまでは発注元企業が管理できても、2次以降のサプライヤーは管理しきれないことが実態としては多い。しかも、問題発覚時は実質的に発注元の責任となるため、どこまで管理するべきかは調達側の悩みの種だ。

サプライチェーンの特徴は業界により異なるが、例えば、電機・半導体、・自動車業界では階層が深く、サプライヤー数も多いため、どのサプライヤーがどのサプライヤーに再委託しているのか把握できていないケースも多い（図表1－7）。また、階層が深くなくても、直接調達先のサプライヤーの数が膨大な場合、調達金額が比較的小さいサプライヤーまでは管理の手が回らないケースが多い。

昨今は、消費者の品質に対する要求レベルが高まっており、問題発覚によるブランドイメージの毀損、他社製品への移行による売上減少、さらに投資家の評価や株価にも波及し得る。SNSなどを通じて風評が拡散するスピードも速まっている。企業は対応に苦慮しつつも、サプライヤーリスクマネジメントを強化している。

## リスクの範囲とステークホルダーの範囲が同時に拡大

調達機能が環境変化に大きく揺さぶられているのは、企業のバリューチェーンにおいて数少ない、外に「開かれた」機能の1つであるためだ。経営における全般的なリスクの範囲の拡大やステークホルダーの拡大が、調達部門の業務上の課題に如実に反映されている。

図表1－8は、BCGが2023年の初めに世界各国の経営層に向けて行ったアンケートの結果だ。多くの経営層が、業績に影響を及ぼす要因を幅広く捉えていることがわかる。環境、人権問題への取り組みなどを筆頭に、企業経営が負うべき責任、対応すべき範囲

図表 1-8
## 世界的なトレンドが企業業績に与える影響の予想

インパクトの方向性[1)]
ポジティブ/ネガティブな影響を与えると予想する回答者の割合

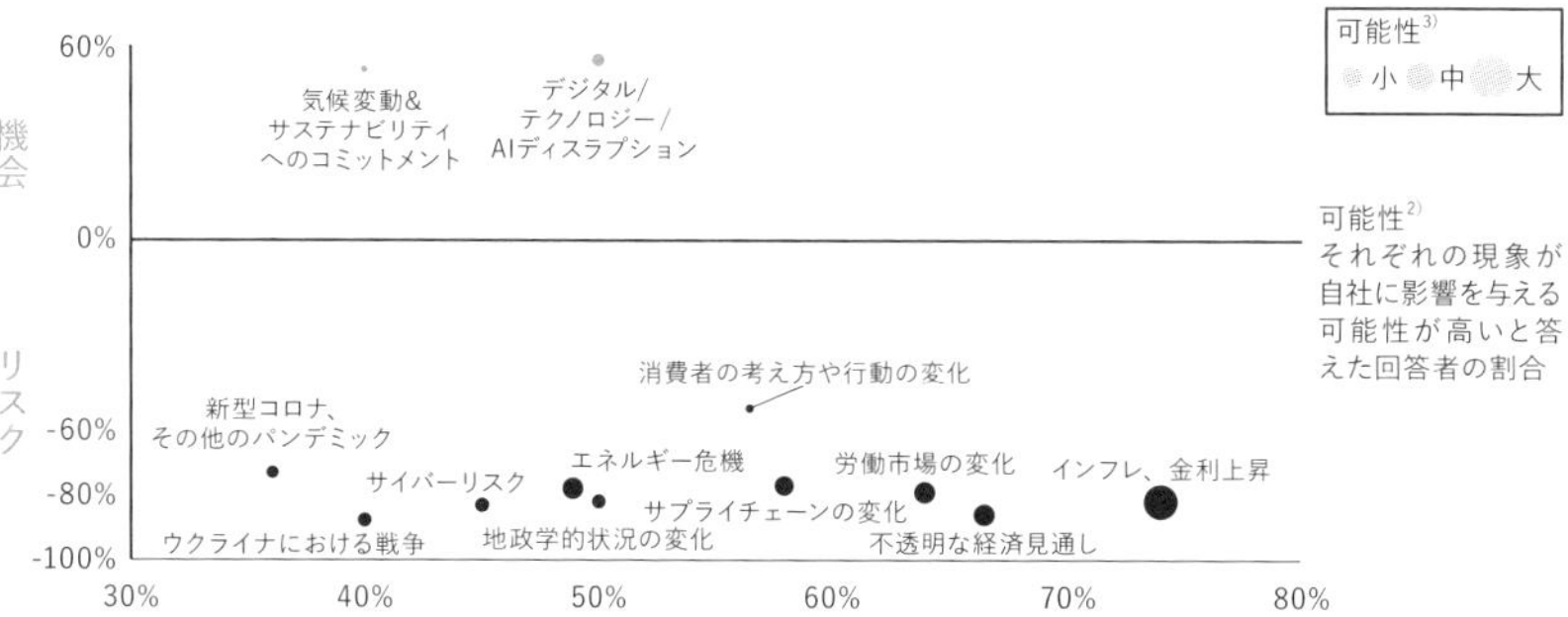


1. 質問：「以下の世界的なトレンドが2023年にあなたの会社の業績に与える影響の方向性と大きさをどのように予想されますか」回答者の50%以上がポジティブ（ネガティブ）と捉えている場合、全体的にポジティブ（ネガティブ）とする
2. 質問：「以下の世界的なトレンドは、2023年のあなたの会社の業績にどの程度影響を与える可能性がありますか」：「非常に可能性が高い」「どちらかといえば可能性が高い」を選択した回答者の割合をプロット
3. 質問：「これらの世界的なトレンドが2023年のあなたの会社の業績に与える影響の方向性と大きさはどの程度と予想されますか」（回答者の加重平均）

出所：ボストン コンサルティング グループ経営層グローバル調査（n=759）、BCG分析

の広がりを受けて、関連するリスクも増大している。また、それらのリスクの影響を考慮すべき範囲は2次・3次以降のサプライヤーまで拡大しているうえ、サプライチェーンはグローバル化・複雑化している。調達先は分散し、かつ多重下請け構造となっており、世界のどこかでリスクが顕在化すれば、連鎖的にその影響を受ける可能性も高まっている。これに伴って、調達部門が考慮すべきリスクの範囲と、それに関わるステークホルダーの範囲が同時に拡大している。

さらに、調達部門のステーク

ホルダーは、これまでの発注部門やサプライヤーにとどまらない。近年は投資家や顧客・消費者が「サプライヤーからどう買っているか」に注目しはじめている。人権や環境面などの問題を抱えた調達先と取引があれば、株価の急落や不買運動といった形で多様なステークホルダーからの抗議を受けてしまうのだ。

繰り返しになるが、これまでの調達機能においては、品質とコストの最適化に重点が置かれ、解くべき問いはごく明解だった。発注部門が求める品質に対し、品質過剰と思われる場合は是正し、そのうえでコストを最適化するためのアクションを徹底していれば一定の価値を発揮できていた。しかし、昨今の環境変化を受け、調達部門が担う機能には、一時的な対応にとどまらない不可逆的かつ抜本的な変革が求められている。

今後は、それぞれのプロセスにおいて、より複雑な調整や対応が求められるようになる。まず調達戦略策定においては、品質やコストに限らず、多様化するリスクを踏まえた安定調達やＥＳＧ対応の観点から複合的な検討が求められ、密に経営陣と連携しながら、最適解を導き出すことが必要だ。コスト・安定調達・ＥＳＧ対応のトリレンマにより、経営レベルでの意思決定が必要になるため、調達部門単独で最適解を導き出せない領分である。調達部門は戦略策定にオーナーシップを持ち、必要な情報を収集し、検討・意思決定を求める場を設定する必要があるが、経営から調達部門に対して、明確なミッションであることを言語化し伝えることも重要となる。

次章では、こうした環境下で、調達機能に求められている役割について、事例を交えて検討していく。

## コラム　調達機能の進化の歴史

企業の調達機能に求められるものは、時代により変化してきた。活動に必要な人員、機械、資材をしっかりと確保する調達戦略は、民間業者から製品やサービスを調達し、末端まで届ける高度な機能を有する軍隊の兵站に起源を求めることができる。調達における最初のイノベーションは、約100年前に大衆車「T型フォード」を開発したフォードが編み出したものだ。このコラムでは外部環境によって変化してきた調達の歴史を振り返り、調達機能の持ち方やサプライヤーとの協業のあり方、今の状況では何か必要になるかについて、考えるヒントを提供したい。

### フォード：垂直統合でサプライチェーン全体をコントロール

1908年に発表されたT型フォードは手頃な価格で運転しやすく、故障しても比較的簡単に修理できる大衆車として、数年間目覚ましい成功を収めた。黒一色で、カスタマイズを制限したほか、ベルトコンベアーを使った大量生産の仕組みを開発。科学的管理法で知られるフレデリック・テイラーの指導下で効率化や生産性を向上させ、1914年時点でフォード工場内の最新鋭の組立ラインでは1台につき93分で自動車を生産することができた。

ところが、欧州で1914年に第1次世界大戦が勃発すると、フォードは原材料の調達難に見舞われた。例えば、タイヤに使う天然ゴムはスリランカから輸入していた。アジアの国は欧州の有事と無関係のようだが、スリランカは当時イギリスの植民地だった。同国のゴムの供給はイギリスが独占しており、戦争の影響を免れなかった。

加えて、フォードは以前からサプライヤーの不誠実な行為にも悩まされてきた。信頼できるパートナーとしての関係構築など望むべくもなかった。その時点まで、フォードはサプライヤーがつくった専用部品を組み立てるアセンブラーだったが、第1次世界大戦をきっかけに、原材料の調達から完成品の生産まで自社がオーナーとなって、サプライチェーンをすべてコントロールしようと決意した。ブラジルの天然ゴム農園を購入し、ジャングルの中に「フォードランディア」という小さな町をつくった。炭鉱、鉄鉱石鉱山、森林地、さらには原材料を自社工場に輸送するための船団や鉄道も取得した。1927年には巨大な製鉄所や部品メーカーなども自社で運営していた。

フォードのこの「垂直統合型」のモデルは大成功した。何もかも自社内で揃うので、調達の専門家は不要になった。ただし、この戦略には重大な欠点があった。まずコストがかさむ。また、官僚主義的になって敏捷性が失われた。結果、競合他社の動きに迅速に対応できず、フォードは１９３０年代初めにゼネラルモーターズ（ＧＭ）とクライスラーに追い抜かれてしまった。

## ＧＭ：キャプティブ・サプライヤーで、垂直統合と市場取引のメリットを実現

信頼関係が成り立たない状況下で経済活動を行う場合、フォードのように自社ですべて手掛けなければならない。しかし、信頼があれば、他社と協業して相互利益を追求しやすくなる。第２次世界大戦中、フランクリン・ルーズベルト大統領は軍需生産委員会により、必須物資の流通を掌握し、工場を飛行機、戦車、装甲車、他の軍需品の製造工場に転換する方針を打ち出した。米国政府が一種の保証人となったことで、米国の経済システムにおける信頼が一気に回復した。

こうした環境下で、１３８億ドル相当の政府契約を結び、大きく飛躍したのがＧＭである。フォードの完全垂直統合モデルに対して、ＧＭが新たに工夫したのが、独立

系の部品メーカーをつくったことだ。これにより、コストや効率性に優れる自由市場と、垂直統合の両方のメリットを享受できる。ここから誕生したACスパークプラグ、ハリソン・ラジエーター、サギノー・ステアリングなどは「キャプティブ（専属）・サプライヤー」と呼ばれるようになった。

このビジネスマネジメントやサプライヤーからの調達手法は、フォードを含む競合他社にも影響を与えた。フォードは米軍で調達業務に携わっていた精鋭人材を雇用し、生産工場に合理的で科学的な手法を導入した。また、自前主義から脱して、広いサプライヤーのネットワークと協業するようになった。

## トヨタ自動車：社会を変えるケイレツの力

第2次世界大戦後の25年間、GMとフォードの2社が製造業をリードしていたが、1973年に起きたオイルショックで潮目が変わった。石油輸出国機構（OPEC）加盟国は親イスラエル国である米国などに石油禁輸措置をとり、米国内で石油価格が高騰したのだ。その結果、いわゆる「ガソリンがぶ飲み車」を生産していた米国メーカーは大きな打撃を受けた。代わって躍進したのが、燃費の良い小型車をつくっていた日本メーカーである。

日本車の高い品質と手頃な価格は、すべて製造プロセス、特にサプライヤーから製品やサービスを調達する方法に由来していた。特に先駆的だったのが、トヨタ自動車だ。カンバン方式、「ジャスト・イン・タイム」生産システム、継続的な改善を指す「カイゼン」などに代表されるトヨタ生産方式を編み出したことは有名だ。

それと同時に、「ケイレツ」の仕組みも重要な役割を果たした。これはGMのキャプティブ・サプライヤーの仕組みの発展系ともいえる企業間の協働ネットワークだが、自動車メーカーと主要サプライヤーが互いに少数株式を持ち合い、安定的な相互協力関係を構築したところに大きな特徴がある。

これらのイノベーションにより、トヨタの生産性は大幅に向上した。１９７０年の労働者１人あたりの年間平均生産台数を見ると、トヨタは38台であり、15年前の５台から大きく増加した。一方、フォードは12台、ＧＭは８台であり、いずれも15年前と同じ生産台数だった。

## ＧＭ：グローバル調達

１９８０年代初め、品質では日本車にかなわないと考えた欧米自動車メーカーは、抜本的なコスト削減プログラムに注力した。ここから「調達部門＝コスト削減部門」

という評判が確立し、今に至る。

特にGMでは、スペイン人のエンジニアをグローバル調達部門の責任者に抜擢してコスト削減を実現させた。既存サプライヤーに値下げを迫っただけでなく、世界中から新しいサプライヤーを探す「グローバルソーシングプログラム」を立ち上げた。それは、自国内のサプライヤーに大きく依存していた日本企業とは異なるアプローチだった。

その背景にあったのが、グローバル化の進展だ。ベルリンの壁が崩壊し、東欧が自由化され、世界経済に10億人が労働者や消費者として新たに加わった。また、中国が世界貿易機関（WTO）に加盟し、グローバル企業は世界最大の低コスト労働市場を利用できるようになった。

こうしたグローバル調達は「賢い調達」ともてはやされたが、近年では、マクロ経済の波に乗った単純なコスト低減戦略とみなされつつある。特に中国では、米中貿易戦争で問題が複雑化する以前から、人件費が高騰し、競争が激化していた。

物価とコストの上昇というマクロ要因には有効な手立てはなく、相変わらず取引継続の見返りとしてサプライヤーに価格面で譲歩を迫るという時代遅れの調達アプローチに固執する企業が多い。しかし、これは無意味なゼロサムゲームでしかない。その中で、新しいサプライヤーとの関係構築を行ってきたのが、大手テクノロジー企業である。

## ビッグテック企業：信頼と相互利益で結びついた企業ネットワークの構築

急速にグローバル化し、フラットになりつつある世界では、サプライヤーとの力関係は変化する。フォードがサプライヤーを切り捨てて垂直統合を追求せざるをえなかった100年前には想像もつかなかった方法で、サプライヤーと密接な関係を保ち続けられるようになっている。

例えば、デルは流通業者を介さない直販を用いて、短納期で顧客が求める必要十分な機能にカスタマイズしたパソコンを個別受注生産するビジネスモデルで有名だ。創業者のマイケル・デルはサプライヤーを「その存在なくして自社は生存・繁栄できない」仲間として位置づけている。

わずか1000ドルを元手に起業した彼は1ドルたりとも無駄にできないと、お金の使い道を慎重に検討し、顧客や株主にとって本当に価値のあることだけに注力しようと考えた。創業初日から考え抜いたのは、「自前で部品を作るべきか、設計仕様通りに他社につくってもらうか」だったという。

デルは最終的にサプライヤーに頼ることを決断し、完成品の在庫を一切持たずに、効率性を徹底的に追求したサプライチェーン・マネジメントを構築した。

人々のインタラクションを促進するインターネットを中心とするデジタル・テクノロジーの時代には、自社が何を所有するかよりも、情報連携しながら誰とどのように協働するかが重要だ。デジタル時代に最も繁栄する企業は、企業ネットワークに参加するか、そうしたネットワークを構築し運営する優れたオーケストレーターになるかだ。また、そこでつくられる企業エコシステムは、ケイレツのような金銭的な利害関係ではなく、信頼と相互利益という絆で結びついているという特徴がある。

ビッグテック企業の多くは、世界の中でその領域を最も得意とする専門サプライヤーと組むことで規模の経済性を享受し、巨大な価値を創出している。そのために、サプライヤーを中核に置き、他社とのコラボレーションをとりまとめる調達責任者に権限を与えてきた。

---

注1　企業物価指数：日銀統計局、消費者物価指数：総務省統計局、いずれも2024年2月
注2　通商白書2020：経済産業省
注3　日本経済新聞2022年12月2日付
注4　2019年度米国進出日系企業実態調査、各企業ヒアリング　JETRO
注5　日本経済新聞　2022年8月21日付
注6　日本経済新聞　2023年7月11日付

# 2章

# 調達機能を通じた競争力強化

これまでの進化を振り返ると、各時代のトッププレーヤーは時々の事業環境に即した調達活動の最適化を行い、コスト体質を強化することで、競争力の源泉としてきたことがわかる（前章末コラム参照）。しかし、過去の成功例はもはや通用しない。おおかたの企業は1980年代以降のデフレ環境下を前提とした調達＝コスト、というパラダイムから脱しきれていない。しかし一方でビッグテック企業のやり方をなぞるのが正解ではないだろう。

コストのみならず、供給リスクの増大を踏まえた安定調達の仕組み化、社会からのサステナビリティ要請への対応という2つの要素についても回答を求められる、調達のトリレンマをどう乗り越えるか。そのために自社の調達機能はどのような価値を提供する必要があり、何が必要なのか。各社が模索している段階だ。

トリレンマに直結する要素である、さらなるコスト最適化、経営リスクの評価やモニタリング、ESG対応を含むサプライヤーとの関係再構築に加え、それらを支えるデジタルやデータの活用、社内の他の部門との協働やさらには経営アジェンダ化など、調達をめぐって検討すべきポイントはさまざまだが、先進企業はそれぞれ特色のある取り組みを始めている。本章では、いくつかのポイントをピックアップし、事例を交えて考察したい。

## コスト優位性を確立する

コストはこれまでも調達の主要テーマだったが、昨今の事業環境下でさらに注目を集めつつある。打てる手は打ち尽くしたと考えている企業もあるかもしれないが、ＢＣＧの経験ではおおかたの企業にさらなるコストの削減余地がある。コスト優位性を突き詰めて自社の差別化要因としている先進企業もある。

調達コスト削減の第一歩は、見える化だ。可視化の対象には金額が大きく原価に直結する直接材だけではなく、間接材も含めることが肝要だ。そして、カテゴリー、品目ごとにサプライヤーの優先順位づけを行い、戦略的に対応を変えていくのが定石となる。管理するアイテムは膨大だが、調達コスト削減の先進企業は、より徹底的に、デジタルやテクノロジーの活用を含むさまざまな手段を講じてこれを行っている。

インフレ下では取引先が値上げするのは致し方ないと考えがちだが、1章でもふれたように、実際には市場によってインフレの影響度合いは異なる。一部の製品では競争環境の激化により、市場全体で価格が低下傾向になっていることさえある。

インフレに乗じて相手側の要求を甘んじて受け入れれば、損失を被ることになる。それを回避するために、まず市場ごとにコスト上昇の度合いや背景の要因を把握するとよい。そのうえで、適切なターゲットを設定し、交渉戦略を立案・実行してコスト回避に取り組めば、収益性の改善や他社との差別化につながっていく。

最近では、交渉のゴールや市場環境、サプライヤーとの力関係を踏まえて、AIを活用して最適な交渉戦略を立案している企業もある。

コスト競争力強化を徹底するとそれ自体が競合との差別化要素となる。ここでは規模の経済とデータドリブンの戦略を活用して調達における圧倒的なコスト優位を実現しているウォルマートの例を紹介する。

## 事例　コスト競争力強化を徹底するウォルマート

大手小売ウォルマートは、EDLP（エブリデー・ロープライス）とEDLC（エブリデー・ローコスト）を戦略の根幹に置いてきたことで広く知られる。同社はデジタルの力も活用してEDLPというコンセプトを愚直に追求し続け、競争優位性につなげている。

同社の基本的な考え方は、恒常的な低価格を実現するために、商品を安定価格で調達することだ。小売業では一般的に、リベートやセールを活用して需要喚起を行ってきたが、同社は本部と10万とも言われるサプライヤーとの間で年間固定の仕入れ価格を設定する。スケールメリットにより低価格を実現するだけでなく、セールがなくなることで繁閑差が抑制され、平準化された安定的なオペレーションの構築が可能になる。それがさらなるコストの低減や競争力の強化へとつながる。

ウォルマートは販売データの無料での提供、安定的な発注量の確約などの施策を通じてサプライヤーにも恩恵を与えることにより緊密な関係を築き、他社には追随できない価格を実現してきた。

同社はまた、デジタルもフル活用して、調達業務全般にわたるさらなるコスト最適化に取り組んでいる。２０２０年には1万人以上のＩＴ人材を雇用し、内製でインフラを構築した。その成果の一例が、見積もりや請求書の自動レビューシステムだ。人件費単価、物品コスト、移動時間を自動的にレビューし、精度向上に役立つ。２０２０年度の決算発表では、値下げのタイミングと幅を最適化する機械学習モデルの構築により３０００万ドル、店舗における設備メンテナンスの提案書・見積書のレビューの自動化により、１４００万ドルのコスト圧縮を実現したと報告している。

また、直近では自動化によるコスト効率向上を積極的に推進しており、２０２６年度末には店舗において65％、梱包において55％の自動化を通じ、単価を20％削減することを目標とする。飽くなき効率性の追求は続いている。

## リスク管理を高度化する

リスクは調達安定化のみならず、コストやＥＳＧへの対応とも関係が深い。調達プロセスの複数の段階で、さまざまなリスクを勘案して調達先を調整する必要がある。しかし、1章でふれたように、従来のリスク管理手法では、安定的かつ持続的な調達・供給が危ぶまれる状況が生じている。そのため、サプライチェーン、サプライヤーのリスクの可視化・戦略立案・定期的なモニタリングと顕在化したリスクへの対応が必須だ。

しかし、各企業からは、必要性を理解してはいてもなかなか実行に踏み出せない、着手しても思うように進展しない、取り組みレベルが十分ではないという課題意識をよく耳にする。サプライチェーンリスク管理高度化における論点は以下のように整理できる。

**適切な管理スコープの設定**：地政学、ＥＳＧ、規制など、変化のスピードが速まる中、どのように優先順位をつけて対応を進めていくべきか。複雑なサプライチェーンの中で、どこに注目すべきか。

**リスク把握・判断基準**：リスクの判断を担当者任せにしないために、判断単位・判断基準をどのようなロジックで設定するか。高リスクのサプライヤーをどう特定し、必要十分な対策をどのように講じていくか。

**データ収集**：サプライヤー、材料、製品、顧客の情報をどのように吸い上げ、一元管理するか。集約した情報を基に、優先的に手を付けるべきサプライヤーをどう選定するか。

**サプライヤー交渉**：サプライヤーの重要度・市場の需給環境などを踏まえ、どのようにサプライヤーと交渉するべきか。またリスクのあるサプライヤーから代替サプライヤーに切り替える際に、候補となるサプライヤーをどのようにリストアップし、絞り込むか。

**社内の巻き込み**：サプライヤーリスクマネジメントを調達部門のみの課題ではなく、全社課題として扱い、必要に応じて部門横断で対応するには何をするべきか。国内外のグループ会社も含めた取り組みが必要な中、どのようにグループ横断の取り組みにしていくか。

**リソース・ケイパビリティの確保**：現行業務で手一杯な現状下で、どのように追加業務に対応するリソースを捻出するか。また、従来の調達業務とは異なる対応が求められる中、どのようにノウハウを獲得するか。

**中長期のリスク対応方針**：当座のリスク対応に加えて、どのようにリスク対応を中長期的な仕組みに落とし込んでいくか。

## リスク可視化のフレームワーク

先進企業は独自のサプライヤーリスクマネジメントの枠組みを策定・活用することで、課題を乗り越え、リスクマネジメント能力を一段引き上げている。

ＢＣＧでも、昨今の情勢・リスク要素を網羅的に整理・反映したサプライヤーリスクマネジメントのフレームワークを定義し、ＡＩを活用したモニタリングツールも用いて、各企業のリスクマネジメント活動を支援している。この枠組みはリスクを広義の地政学（災害リスク、地政学リスク、経済リスク）、産業リスク、サプライヤー（事業構造リスク、レピュテーションリスク、財務リスク、オペレーショナルリスク）の８つのカテゴリーで網羅的に把握し、各リスクカテゴリーに対して、サプライヤーリスクを特定するものだ（図表２－１）。

図表 2-1
**BCGの考えるサプライヤーリスクの全体像**
**大きくは8つのリスクカテゴリを想定**

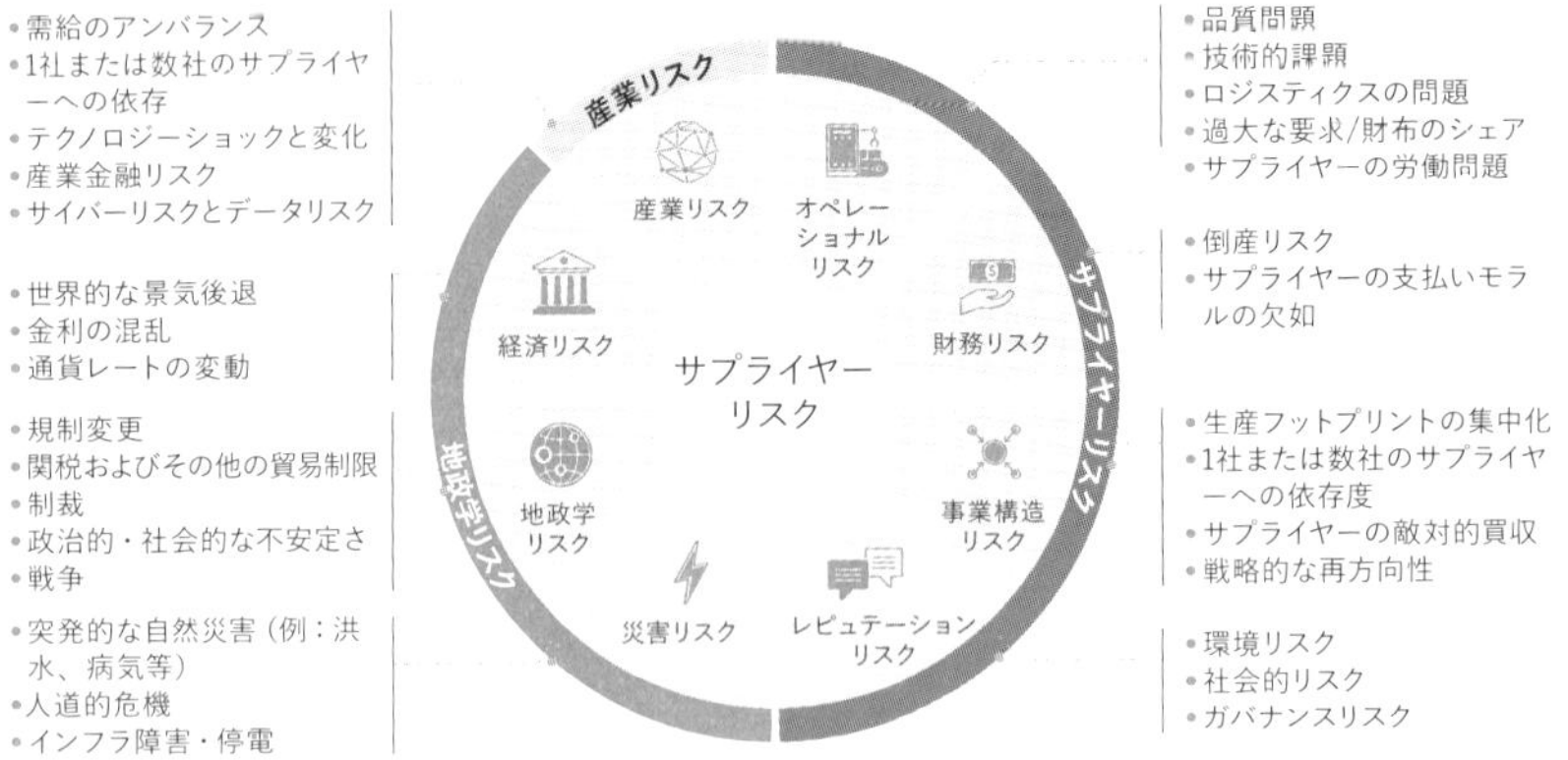


出所：ボストン コンサルティング グループ

この枠組みは、経営層がリスクを把握する助けとなるとともに、リソースの確保や国内外のグループ会社の巻き込みなどを含め、実効性の高い戦略策定・施策実行のベースとなる。

サプライヤーリスクの特定にあたっては、サプライヤーのセグメンテーションとセグメントごとのリスク評価・対象範囲の絞り込みが肝要である。このフレームワークでは8つのリスクカテゴリーと自社の事業セグメントを組み合わせたマトリクスでのリスク評価を推奨している。

まず、リスクカテゴリー×事業セグメントという単位で、サプライヤーリスクが高い領域を特定する。

図表 2-2

## サプライヤーリスクの特定

リスク、リスクギャップ、インフレの脅威を評価するため、サプライヤー業界別にリスクを詳細に分析

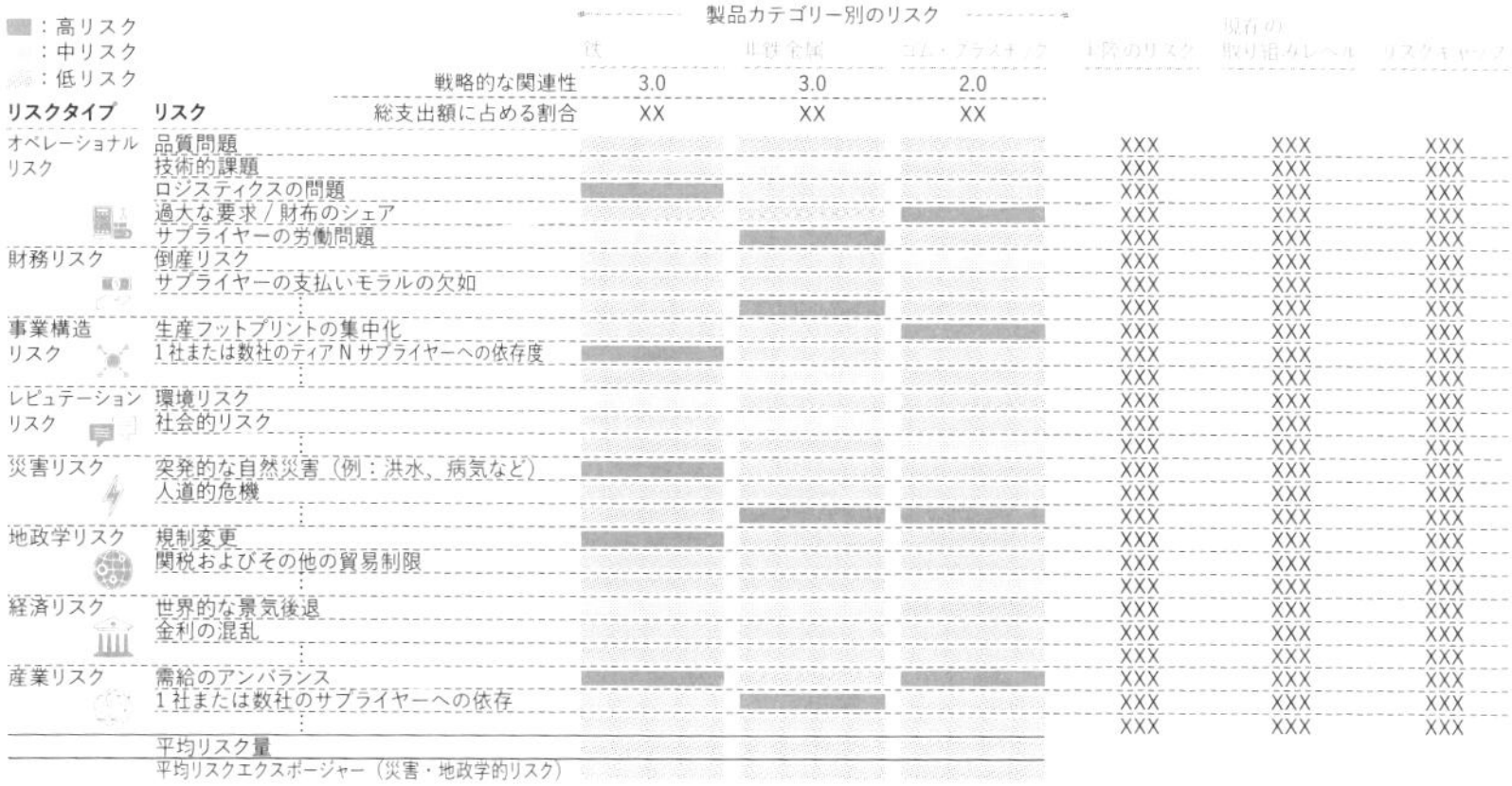


出所：ボストン コンサルティング グループ

縦軸のリスク要素は事業環境を勘案し、横軸の事業セグメントは対象となる製品や自社の状況・重要度を見て重みづけを行う（図表2－2）。例えば、自社にとって鉄が最重要の原材料である場合、鉄についてはリスク評価の重みを増して評価するなどである。

さらに、ハイリスクとされた領域については個別のサプライヤー単位で詳細な分析を進め、対応策を策定していく。最終的にはサプライヤー個社単位まで詳細化して交渉プランを練るが、その際には、コアサプライヤーとその他のサプライヤーを峻別し、それぞれ別個の戦略を策定することが肝要だ。

サプライヤーの分散状況にもよるが、基本的には、コアサプライヤーとは個別に交渉して自社のメリットを最大化するよう努め、それ以外のサプライヤーへの対応は定型化し、最小の工数でカバーしていくことが定石となる。

## サステナビリティ対応
## ――サプライヤー・エコシステムの進化

1章で紹介したように、ESGをめぐっては複数の側面から企業運営に対するプレッシャーが高まっている。社会の新しい要求にうまく対応できない場合には、売上減少、レピュテーション（評判）の毀損、株価など企業価値への悪影響が生じる。したがって、企業としてはまずは「守り」を固めなくてはならない。

実際に、欧米の大手企業や政府機関を中心にサプライチェーン全体のサステナビリティ対応を取引条件に含めるケースが増えている。例えば、アップルはサプライヤーに環境や労働条件などの厳格な基準を満たすよう求めている。これらの基準に達しない企業とは取引を行わないという方針を掲げているのだ。ここで対応が後手に回れば、失注リスクは確実に高まる。

さらに、国や自治体の間でも、環境に配慮した製品やサービスの導入を優先するグリーン調達が広まっている。入札時にサステナビリティ対応を行う企業が優遇される事例も増えている。

図表2-3
**サステナビリティ要件を取り込んだ取引先選定プロセス先進事例**

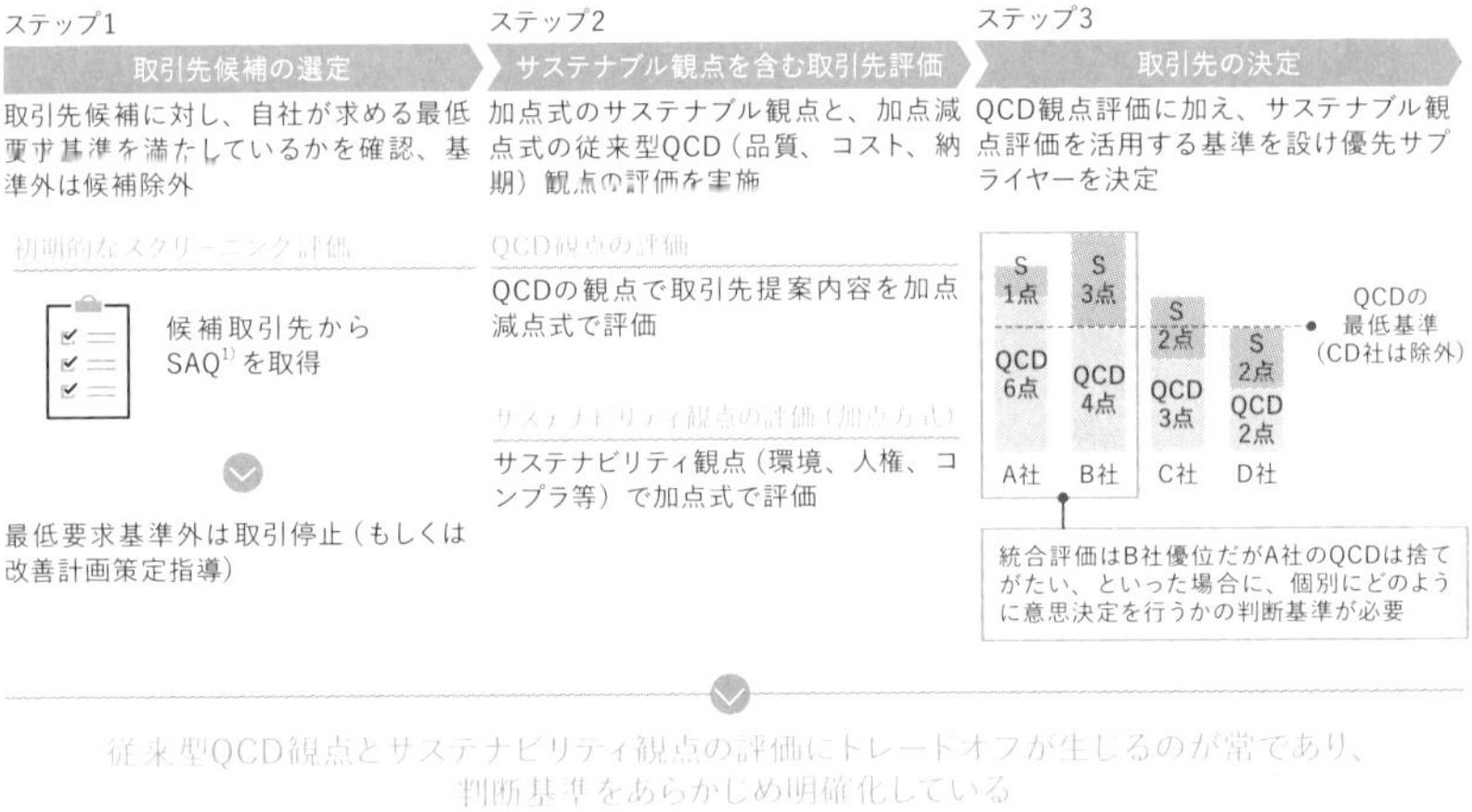
ステップ1
取引先候補の選定
取引先候補に対し、自社が求める最低要求基準を満たしているかを確認、基準外は候補除外
初期的なスクリーニング評価
候補取引先からSAQ1)を取得
最低要求基準外は取引停止（もしくは改善計画策定指導）
ステップ2
サステナブル観点を含む取引先評価
加点式のサステナブル観点と、加点減点式の従来型QCD（品質、コスト、納期）観点の評価を実施
QCD観点の評価
QCDの観点で取引先提案内容を加点減点式で評価
サステナビリティ観点の評価（加点方式）
サステナビリティ観点（環境、人権、コンプラ等）で加点式で評価
ステップ3
取引先の決定
QCD観点評価に加え、サステナブル観点評価を活用する基準を設け優先サプライヤーを決定
S 1点
QCD 6点
A社
S 3点
QCD 4点
B社
S 2点
QCD 3点
C社
S 2点
QCD 2点
D社
QCDの最低基準（CD社は除外）
統合評価はB社優位だがA社のQCDは捨てがたい、といった場合に、個別にどのように意思決定を行うかの判断基準が必要
従来型QCD観点とサステナビリティ観点の評価にトレードオフが生じるのが常であり、判断基準をあらかじめ明確化している

1. SAQ：Self-Assessment Questionnaireの略称。取引先がサステナブル要件を自己評価した内容を記述し、バイヤー企業に回答する文書

出所：ボストン コンサルティング グループ

銀行などの金融機関も企業のESGリスクを評価し、その結果に基づいて融資を推進する傾向が強くなっている。環境保護に配慮したプロジェクトへの投資や、環境負荷の低い企業への融資を優先する取り組みも加速しており、今後はサステナビリティ対応が遅れている企業は資金調達が困難になっていくだろう。

　このような環境変化を受けて、先進企業は取引先の選定について、コストや品質、納期などこれまで重要視されていた評価項目に加えて、サステナビリティの観点も取り込んで意思決定している（図表2－3）。

図表 2-4
## サステナビリティ要件を取り込んだ取引先選定の先進事例

| B to B取引の買い手 | サプライヤー管理強化の動き |
| --- | --- |
| 外資系消費財メーカー | 調達に関する持続可能性指標を定めてサプライヤーを5段階評価、スコア3以上の工場のみから調達 |
| 日系消費財メーカー | サプライヤーへESG情報共有プラットフォーム（SEDEX）への参加を要請、参加しない場合は取引を拒否 |
| 外資系ハイテクメーカー | メガサプライヤーへ責任ある企業同盟（RBA）への参加とRBAに準拠した監査の実施を要請、対応しない場合は取引を拒否 |
| 日系自動車メーカー | サプライヤーに対し、サプライチェーン全体での$CO_2$排出量の見える化を要求 |
| 外資系製薬メーカー | サプライヤーを環境・人権・企業統治のそれぞれに対応しているか否かでゴールド、シルバー、ブロンズにランク付け |

バイヤー側：要件を充足していない取引先とのビジネスにはリスクが存在するとの認識が一般化
サプライヤー側：充足により、より競合優位な形で取引を獲得可能となるゲームチェンジが生じている

出所：ボストン コンサルティング グループ

これまで見てきたコストや安定調達などの観点と、サステナビリティの観点の間にはトレードオフが生じるが、図表の例では、QCD（Q：品質、C：コスト、D：納期）観点でまず加点減点式で評価したうえで、サステナビリティ観点を加点する、と判断基準を明確にしている。多くの企業で同様の例が見られ（図表2－4）、サステナビリティ対応をきっかけに、調達における大きなゲームチェンジが起きつつあるといえる。

新たな要請に対して積極的に取り組み、対応できた企業は製品・サービスや企業価値の面で優位性

を築ける。言い換えれば、サステナビリティ対応には「守り」だけでなく、「攻め」の側面もあるということだ。

実際に、ＥＳＧパフォーマンスに注目して投資対象を選定する機関投資家が増えている。企業のＥＳＧ評価が高いほど、投資家からの評価が高まり、資本市場からの資金調達が容易になることが想定される。

人権をはじめとするサプライヤーリスクマネジメントを出発点に、自社の取り組みを全面的に見直すことで、サプライヤー・エコシステムを進化させることもできる。

社会課題に関して法規制を含めた外圧が高まる中で、守りと捉えて対応するだけでなく、それを攻めに転じて成功しているのが、一部のテクノロジー企業だ。

例えば、児童労働や性差別などに対する指摘を受けてきたインテルは、攻めの対応として、サプライヤーダイバーシティ・プログラムに大規模投資を行い、多様性を備えた企業から製品やサービスを購入する取り組みを進めてきた。ＩＢＭも全世界でダイバーシティ認定された1次サプライヤーに12億ドルを支出した。

このようにサステナビリティ対応はサプライヤーとの関係性を変えつつある。その中で、業界が一丸となって取り組んでいる先進的な例として、製薬業界をご紹介したい。

## 事例　サプライヤーの$CO_2$削減を目指す製薬大手の連携

医薬品業界では、製品の特性上サプライチェーンの途絶は重大な問題だ。自動車や家電製品であれば、主要部品が入手できずに納期が数カ月遅れても、顧客は待ってくれる可能性がある。しかし医薬品の場合、サプライチェーンのどこかで問題が起こって供給が止まり、代替可能な医薬品がなければ、患者の命に関わることさえある。医師は当然ながら、供給不安のある医薬品の採用をためらうだろう。健康を扱うエッセンシャル産業である医薬品業界は、社会的責任を果たすためにも、サプライヤーとの協力関係を築き、ビジネスの持続可能性を追求していかなくてはならない。

環境問題もまた、医薬品企業にとって無視できないテーマとなっている。というのも、気候変動は私たちの健康に大きな影響を及ぼすからだ。例えば毎年、大気汚染だけで約700万人、極度の暑さで500万人が亡くなっている。猛暑による死亡者数は2050年までに3倍になるとする予測もある。

カーボンニュートラルを目指す取り組みでは、自社が直接接点を持たないサプライチェーン構成企業の活動実態（スコープ3）はつかみにくく、医薬品業界でも課題視されてきた。

個社で取り組むのは難易度が高いことから、ファイザー、ジョンソン＆ジョンソン、武田薬品工業など世界の製薬大手10社が共同で、サプライヤーの$CO_2$削減を支援する取り組みを始めている。原材料から包装材も含めたサプライヤー1000社以上に共通システムを導入してもらい、電力や水の使用量、廃棄量の情報を集約する。これら数値を分析すれば、$CO_2$排出量に換算できるようになる。これにより、サプライヤーから購入した製品・サービスの排出量が算定可能となる。

サプライヤーには当然中小零細企業も含まれるため、対応リソースが大企業ほど十分ではない。数多くの製薬企業からの可視化要請に個別に応えるのは負荷が高く、問題視されていたが、その解決の一助になるだろう。

製薬企業側も、可視化のためのインフラ投資を個社ごとに行う場合の負担は大きく、業界共通システムとして共同利用する効果は大きい。これは世界初の多国籍企業間の具体的な連携の動きとして注目されている。

## データやテクノロジーの活用

データやテクノロジーの活用は、調達に不可欠なものとなっている。例えば、リスク情報の収集、評価、対応策の検討、実行という一連のプロセス管理の品質維持・リソース最小化には、デジタルツールがフル活用されている。

２０２２年の調査でＩＤＣが１１００人以上の調達リーダーに、今後12カ月、および３年の間にどのテクノロジーを導入する予定かを尋ねたところ、12カ月間での導入予定比率に対して３年間での導入予定比率が最も大きかったのがＡＩとブロックチェーンだった。この２つについては中長期を見据えて導入が検討されていることがわかる。

中でもＡＩはカギとなり、供給リスクの見える化、リアルタイムでの需要予測や在庫管理、輸送ルートの最適化、その他調達バリューチェーンの各段階で幅広く活用されている。（図表２－５）。業務フローを合理化し、人的ミスを減らし、意思決定の精度を向上するために、（チャットＧＰＴのような）生成ＡＩを使い始めている企業もある。主な用途としては、契約書や提案依頼書の作成、需要予測の自動化などが挙げられる。ＡＩを活用して

図表2-5
**調達バリューチェーンにはAIを活用できる領域が多数ある**

| 戦略、企画策定 | ソーシング〜契約 | パーチェシング〜支払い | 監査、コンプライアンス |
|---|---|---|---|
| 全てのコスト削減ポテンシャルを評価 | 交渉サポート | サプライヤーキャパシティのコントロール | 支払いの見える化 |
| コスト削減可能性に合わせた予算調整 | 交渉プロセスの自動化 | 請求者の問い合わせへの対応 | 質の向上 |
| | サプライヤーの質問への対応 | | 自然言語処理による検索分析 |

意思決定を自動化することで、業務の煩雑性を低減し、リーダーやスタッフは時間を付加価値の高いタスクに振り向けられるようになる。

次世代テクノロジーへの投資では、在庫管理の改善など、特定の成果の達成を目指すことがきわめて重要だ。ＢＣＧの調査によると、デジタル投資全体に占めるＡＩへの投資額の割合が高い企業ほど、特定の成果の達成を目的とした投資で、ますます高いリターンを得られることがわかっている。

シーメンス、ルフトハンザ、フィリップス、ヘンケルなどの業界大手は、既に調達プロセスの自動化のためにこれらの先進技術を導入している。ここではアマゾンの例をご紹介したい。

## 事例　テクノロジーを基礎に競争優位性を築くアマゾン

アマゾンの調達における競争優位性は、ＡＩを活用した需要予測とデジタルプラットフォームを活用したサプライヤーパートナーシップに支えられている。

需要予測では、大きく３つの工夫がある。まず、社内の膨大なデータの活用である。具体的には、顧客の購入履歴、商品の閲覧履歴、検索履歴、レビューなどの情報をインプットとし、後述するモデルに投入することで精度の高い予測を可能にしている。

また、予測の精度を向上させるために外部データも効果的に活用している。天気予報、祝日、イベント情報などがその一例で、大きなスポーツイベントや映画のリリースが特定の商品カテゴリーの需要に与える影響を推計し、予測に織り込んでいる。また、一部の商品やカテゴリーは季節性やトレンドに影響されるため、時系列データも活用する。加えて、サプライヤーとも需要予測のデータを共有することで、さらなる精度の向上に取り組んでいる。

さらに、複雑な機械学習アルゴリズムを使用して、Ａ／Ｂテストを繰り返すことで、継続的に予測の精度を向上させている。

サプライヤーとのパートナーシップにおいても、さまざまな工夫を凝らす。１つ目は、サプライヤーの規模に合わせて2つのサプライヤー向けプラットフォームを使い分けている点である。

大手メーカー・ブランド向けには「ベンダーセントラル」という仕組みを提供し、アマゾン主導で価格設定、在庫管理、顧客サービスを行う。このケースではアマゾンがサプライヤーに対して大口注文を発注し、マーケティング・プロモーションを支援する代わりに、相応の値引きを要求するケースが多い。しかし、サプライヤーにとっては値引きを上回る販促効果が期待できるため、大半の大手メーカー・ブランドはこのプラットフォームを活用している。

一方、個人販売者や小規模企業に対しては「セラーセントラル」という仕組みを提供し、販売者側に価格、説明、プロモーションなどの裁量を与えている。このケースではアマゾンは在庫リスクを負わずに商品ラインナップの多様性を高められ、サプライヤーはアマゾンの集客力を生かした拡販が期待できるため、Ｗｉｎ－Ｗｉｎの関係が築けている。

２つ目は、サプライヤーへの豊富な管理ツールの提供である。上記いずれのプラットフォームにおいても、サプライヤーは売上、在庫、顧客のフィードバックなどのデータをタイムリーに分析できることで、サプライヤー主体の改善活動がきわめて実施しやすい環境にある。

３つ目は、物流・在庫管理の支援である。セラーセントラルに参加する小規模サプライヤーに対して、アマゾンが出荷や返品の処理を代替するFBA（フルフィルメント・バイ・アマゾン）というオプションを提供している。これにより、販売者は物流の手間を減らすことができる。

このように、アマゾンは徹底的な需要予測と、大規模・小規模サプライヤーの双方をカバーするデータを駆使したサプライヤーパートナーシップにより、全世界からの膨大な注文を安定的に捌いている。

# 競合動向の情報収集

事業の成功には、競合企業の動向を把握することが必須だ。他社の商品・サービスや事業戦略を詳しく知るには、各社の発表や報道で得られる外部情報に加えて、自社の情報網を最大限に活用することが重要になる。企業のバリューチェーンにおいて、自社内で完結せずに社外に開かれているのは調達部門と営業部門のみだ。調達部門が接しているサプライヤーは、競合企業とも取引を行っているケースが多い。したがって、調達部門はサプライヤーとのやり取りを通じて競合動向の情報収集ができる立ち位置にあるが、そのことはあまり認識されていない。

ここではまず調達部門による情報収集の事例を紹介する。さらにコラムでは、こうした役割を果たすうえでのポイントをお示ししたい。

## 事例　製品ベンチマークへの関与

　ある自動車メーカーでは、競合企業の車種のベンチマーク活動に調達部門も関与し、搭載部品に関する情報をサプライヤーから収集する役割を担っている。ベンチマーク活動では、入手した他メーカーの自動車を部品レベルまで分解して解析を行う。これにより、自社では採用していない部品や技術が搭載されていることや、部品の数量や配置が自社の設計と異なることが明らかになる。

　ここで、調達部門は、競合企業がどういった考えでそのような部品や設計を採用したのかを推察するための材料として、サプライヤーからの情報収集を行う。サプライヤーとしては、自社の部品を売り込むチャンスでもあるので、（価格情報までは開示しないものの）競合自動車メーカーに売り込んでいるセールスポイントについては教えてもらえるケースが多い。そのようにして入手した情報を研究開発部門に共有し、彼らが持つ設計や技術に関する情報と合わせて分析や議論を重ねることで、競合他社の設計思想を推察し、自社の設計部門にフィードバックしている。

## 事例　競合の生産動向についての情報収集

日系ＩＴ企業Ａ社の調達部門は、部材の需給逼迫を前もって予測するために、競合企業の生産動向に関する情報をサプライヤー経由で収集し、営業などの他部門に情報提供する役割を担っている。

需給逼迫の予測にあたっては、発生が想定されるタイミングやその継続期間の長さ、その理由、発生確度とその前提条件といった情報を押さえておくことが重要である。２０２１年初頭から発生した半導体サプライチェーンの混乱への対応では、競合企業がどの程度の規模のオーダーをどのタイミングで出しているかについて、リスクが顕在化しそうなタイミングで調達部門が積極的に情報収集を行った。

例えば、調達部門がサプライヤーＢ社から、Ｂ社が自社の競合企業であるＣ社のコンペを勝ち取った、あるいは負けたといった情報を入手したら、そのコンペにおける調達規模やタイムラインの情報をヒアリングし、結果を営業部門にフィードバックする、などである。

もともとＡ社ではサプライヤー窓口を調達部門に一元化し、社内に周知している。サプライチェーンが混乱すると、自社の複数の部門がそれぞれサプライヤーに問い合わせてしまうケースもある。日頃の関係性がないために情報を入手できないだけでなく、サプライヤーにも負担がかかる可能性もある。そうした状況を防ぐとともに、混乱発生時には調達部門がいち早く行動を起こすことが徹底されている。

このように、調達部門はサプライヤーとの接点や関係性を活用し、競合企業の設計思想や生産動向、コスト水準といった情報を収集する役割を果たしうる。コンフィデンシャリティのリスクには十分留意することが前提となるが、開発部門へのフィードバックなどを通し、自社の競争優位につなげられるポテンシャルが備わっているといえる。

## コラム　情報収集の役割を果たすうえでのポイント

調達部門が情報収集機能を果たすうえで、担当者にできる工夫がいくつかある。以下に紹介していきたい。

### 日頃からアンテナを張る

情報収集能力を高めるためには、情報を察知し深掘りするために、業界構造や業界動向を理解し、情報感度を鋭くする必要がある。業界内での競合企業とサプライヤーとの取引関係は複雑化していることもあり、それをひもとくためには、1次サプライヤーだけでなく2次サプライヤー以降についてもあらかじめ整理把握しておくことが助けとなる。

情報収集の機会は商談時に限ったものではない。例えば、サプライヤーの工場を訪問して見慣れない製品を見かけたときに、「どのメーカーの製品なのですか」などといった質問をまめに行う姿勢も求められる。

また、スムーズに情報を出してもらえるような話術を身に付けることも重要である。その場で即答できないと思われるときには、営業担当と1対1になった際に再度問いかけてみる、あるいは自分たちの悩み事を相談する形で話を始めてみるなど、言い方・切り出し方の工夫も効果的である。

これらは一朝一夕に身に付くものではなく、また座学で教えきれるものでもない。マネジメントは日頃から社内での意識付けを行うとともに、エース営業員の商談現場に調達部員を同行させ、ＯＪＴで気づきを与えていくことも必要である。

## 信頼関係を築く

サプライヤーから効果的に情報を引き出すためには、信頼関係の構築が欠かせない。そのためには、日頃から、サプライヤーへの協力姿勢を見せることが重要である。

ある外資系小売企業では、サプライヤーに情報を出してもらうために、まずは発注側である自社が惜しみなく情報開示する用意をする。交渉の場には、調達だけでなく必要に応じて財務、法務、サステナビリティ担当も参加して意見交換することで、長期的な関係を前提にした取引だと感じてもらえるよう工夫している。また、開発中の新製品への採用を期待している技術要素や、量産に至った際に期待される受注ボリュームなどを早い段階からサプライヤーにも情報共有することで、サプライヤーのビジネスチャンスにもつなげられるようにしている。

さらにコンペの際には、「他のサプライヤーはこれくらいの水準の提案をしている」といった情報を共有する、あるいはコンペで選ばなかったサプライヤーに対しても、最終決定した価格レベルなどの情報をフィードバックするなど、日常の取引の中でギブアンドテイクの姿勢を示すことも効果的である。

逆に言えば、明らかに取引意思のない当て馬のような扱いをすれば、サプライヤーからその後の情報提供など期待できないことは、想像に難くないだろう。

サプライヤーに安心して情報を提供してもらうためには、自社内での情報管理を徹底しておくことも重要である。社内であっても注意深く扱うべき情報についてはソースは明かさない、1次情報をそのまま展開するのではなく複数のサプライヤーの情報や公開情報を組み合わせ加工したレポートとして展開する、現場社員と役員や管理職で開示するレベルを変える、といった意識的なコントロールが求められる。

信頼関係を築くことで、サプライヤーの経営層や技術役員などと商談や意見交換を行う機会も増えてくるだろう。トップ層との接点を持つことで、現場の営業が把握していない、あるいは開示できない情報にふれることも可能になってくる。

## 調達を経営アジェンダに

調達を競争優位性の源とするには、必要な投資を行うことに加え、経営アジェンダに引き上げ、経営レベルの意思決定でトレードオフを解いていく必要がある。組織体制上の打ち手の1つとして考えられるのが、CPO（最高調達責任者）を置き、CPOを経営意思決定の場に座らせることだ。BCGが米国でS&P500の上位150社を対象に調査を実施したところ、リーダーシップチームに最高調達責任者（CPO）またはそれに準ずる人物が含まれている企業は、35％にあたる52社だった。だが、驚くべきことに、この52社は2000年以降の20年間で、市場を134％上回る業績を上げていた。

この章の最後では、調達畑出身のCEO、ティム・クックが率いるアップルの調達の特徴を見ていきたい。

## 事例　調達を戦略の中心に据えるアップル

アップルの考え方を象徴しているのが、CEOのティム・クックだ。企業によって財務畑、技術畑、営業畑など社長の経歴はさまざまだが、調達畑出身のCEOは大手企業では非常に稀だ。しかも、アップルの強みとして指摘されるのは、美しいデザイン、技術イノベーション、消費者への深い理解などであり、いずれも、縁の下の力持ちである調達機能とはすぐに結びつかない。

そのため、クックがスティーブ・ジョブズの後任に指名されると、業界関係者の間で、適任者なのかといぶかしむ声があがった。例えば、アップルの新商品発表会といえば、これまでカリスマ性に富むジョブズの言動が注目を集めてきたが、こうした場でクックはひどく地味な印象を与えた。クックがCEOとして初めてお披露目したiPhone4Sの反応は今ひとつであり、ザ・ニューヨーカー誌が「アップルは演出でつまずいたようだ」と報じたほどだ。

しかし、クックを抜擢したジョブズは、アップルの真の強みをよく理解していた。グローバル化が進み、何もかもがつながる時代において、世界中のサプライヤーと協力して最高品質でかつ最も革新的な製品を生み出し、最高の価格で売ることが何よりも重要だ。

アップルはデザイン力や技術力もさることながら、調達の達人だった。

例えば、ｉＰｈｏｎｅは米国のアップル本社で設計されているが、6大陸43カ国から調達した原材料と部品を用いて、中国のフォックスコンの工場で組み立てられる。また、クックは株主を満足させる業績を達成し続け、２０２２年にはアップルの時価総額は3兆ドルに達した。

アップルの調達には大きく4つの特徴がある。１つ目は、サプライヤーを厳選することだ。製品ごとに、１つひとつの部品について最適なサプライヤーを選定する。また、調達安定化の観点から、セカンド・サプライヤーも同時に発掘している。

２つ目が、サプライヤーをハンズオンで管理することだ。サプライヤーに製造を一任するのではなく、製造現場にアップルのオペレーション専門家チームが入り込み、現場で技術や品質指導を徹底的に行い、サプライヤーのコストと品質管理を向上させる。必要があれば、設備投資の支援も行う。特に、重要設備はアップルが自ら製作し資金を提供することで、サプライヤーの生産能力を底上げしていく。サプライヤーには共通の管理システムを導入してもらい、生産から納品までの各プロセスの日程をアップルと共有することを義務付けている。

３つ目は柔軟な生産計画を立案し実行することだ。ｉＰｈｏｎｅはその特性上、新モデル発売日に向けてサプライチェーンを急速に立ち上げた後、生産量を抑制し、クリスマスなど大型商戦では再び生産を拡大するというように、非常に柔軟な生産計画が求められる。アップルは優れたサプライヤーと連携しながら、この難しい課題をうまくマネジメントしている。

４つ目は、驚異的なＣＣＣ（キャッシュ・コンバージョン・サイクル）だ。仕入れの支払いから、販売して代金を回収するまでの平均日数を表す指標であるＣＣＣは、数字が小さいほど資金繰りが良いことを示す。現在のアップルのＣＣＣはマイナス70日程度だ。つまり、仕入れの70日前に売上が立っている状況であり、資金繰りで困ることはない。それが可能なのは、サプライヤーとの支払条件において交渉力があるからだ。

アップルは現在、仕入れから平均で１１０日後に支払いをする。その一方で、在庫は10日程度、平均販売期間は30日程度と短い。

調達を中心に据えることで実現した圧倒的なサプライヤーマネジメント力とサプライヤー・ネットワークの構築力がアップルの競争力の柱となっている。

## コラム　「ゼロベース予算」への調達部門の貢献

調達部門が全社に貢献できる取り組みの1つとして、リーン（筋肉質化）に向けた手法、「ゼロベース予算（Zero Based Budgeting）」が挙げられる。

ゼロベース予算は、企業が予算計画を策定する際に使用する有力な手法の1つとして注目されている。一般的には、毎年の予算は前年度実績を発射台にして策定していく。しかし、ゼロベース予算ではそれをまさにゼロからつくり直していく。つまり、各部門は毎年の予算を最初から見直し、主要な経費の単価・内容の妥当性を改めて検証・正当化する必要がある。具体的には、次のステップで進める（図表）。

### ①見える化

まず費目別に、現在どの程度のコストが発生しているかを一覧化する。現状の予算策定における課題を洗い出し、仮のターゲットを設定する。例えば、マーケティングコストにおいてＲＯＩが計測されておらず、費用が他社ベンチマーク比で高い場合、

## BCGのZBBアプローチは、4つのフェーズから構成

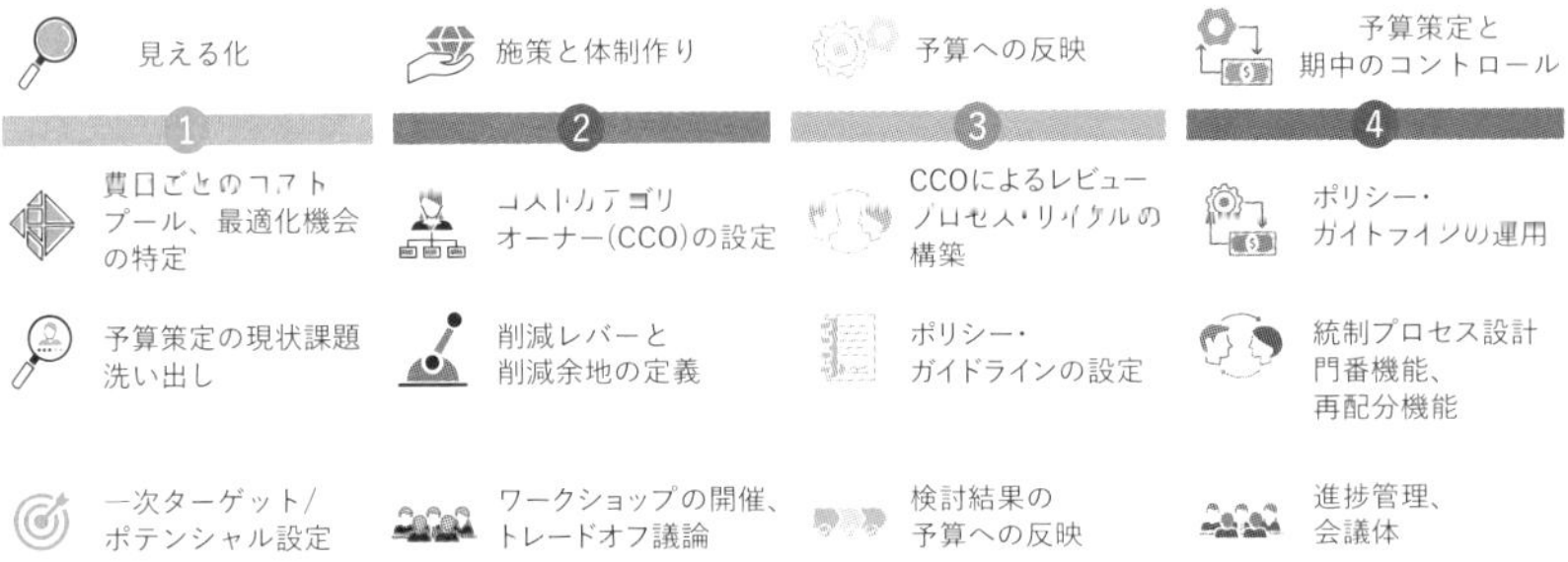


出所：ボストン コンサルティング グループ

ROIの計測の徹底と合わせて、他社並みへの抑制を予算ターゲットとする。

### ②施策と体制づくり

主要費目ごとに全社横串での責任者（コストカテゴリーオーナー、CCO）を任命する。CCOの下で削減施策案を幅出し（より多くの選択肢を検討）し、ワークショップを開催して施策の実現性を検証したり、トレードオフを洗い出したりするなど、さらなる深掘りを行う。

### ③予算への反映

CCOが施策をレビューし、具体的な予算反映額を定める。ポリシー・ガイドラインを設定するとともに、ガイドラインを達成するために必要な規定を整備、制度面での担保も図る。例えば、旅費交通費では、どのような出張を許可

するか、航空機・ホテルなどをどのように手配するかをすべて明文化する。旅費交通費の統制は営業面への影響もあるため、ポリシー・ガイドラインの具体化に際しては、営業サイドへのヒアリングなども行い、細心の注意を払う。

### ④期中のコントロール

策定した予算が達成されるよう、期中の統制・進捗管理プロセスを適切に回すべく、会議体を運用する。

このプロセスのうち、特に調達部門は②のステップ、施策の幅出しや実現性の検証、トレードオフの洗い出しにおいて力を発揮する。

一般的に、ゼロベース予算への取り組みの初期には、各部門の担当者がこれまでの取り組みを維持・正当化するケースが多い。見直しの余地があると認めることを、自分の過去の取り組みが否定された、過ちがあったと感じてしまう傾向にあるためである。また、単純にコスト削減についての知識が十分でないことも多いため、打ち手の幅出しを網羅的に行えるケースは稀である。

一方、調達部門は過去の取り組みのしがらみから自由なため、各部門に対して一歩引いた目線から、客観的に打ち手の幅出しを行うことができ、取り組みの成果最大化に大きく貢献できる。

また、施策の実現性を検証する際にも、これまでの購買活動の経験や知識に基づいてさまざまな角度からパターンを検討できるため、他部門が実行を躊躇しがちなトレードオフが存在する施策の推進においても、非常に頼りになる。

調達部門長が一部のコスト（特に間接コスト）のCCOに就任して力を発揮するケースも多い。間接コストは全社横串での統制が特に効果的なため、営業や生産、研究開発といった直接部門ではなく、調達部門のような間接部門が全社のルール・予算設定、進捗モニタリングを行うことが望ましい。そのため、調達部門長はCCOとして適任である。予算を案件単位で精緻化せず、一種の枠として捉えている企業では、ゼロベース予算を活用することで、予算を必須部分と調整弁の部分に分解・可視化することができる。

ゼロベース予算を取り入れることで、調整弁の部分を極力減らし、全社視点でROIの高い施策などに振り向けることができる。つまり、コストの筋肉質化に加え、攻めの予算策定も可能となるのだ。

ゼロベース予算の策定は難易度が高く工数もかかるが、その分大きな効果が期待できる。調達部門がその実現に果たせる役割は非常に大きい。

# 3章

# 周回遅れの日本企業

日本のものづくりは優れた調達のケイパビリティに支えられてきた。実際に、メーカーやインフラ系の企業では、コスト交渉力、安定調達、品質保持に関して調達部門が大きな役割を果たしている。しかしそれはごく一部にすぎず、大多数の日本企業では調達機能・部門の価値が過小評価される傾向にあり、言葉を選ばずにいうと「事務屋、作業屋」のような役割とみなしている企業も散見される。さらに、これまで調達力を誇ってきた企業でさえ、トリレンマという新しい状況には手を焼いている。

本章では、日本企業の調達部門における機能不全の実態、さらにはなぜそのような状況に陥っているかについて探っていく。

## 調達部門の業務

本題に入る前に、調達部門の担う業務の流れと役割を整理しよう。大枠としては、調達戦略を構築し、予算、計画を策定したうえで、それを基に調達活動を行うというもので、調達活動は上流のソーシングと、下流のパーチェシングに分けて考えるのが一般的だ。調達業務の全体像を図にしたのが図表3－1だ。縦軸に業務の流れを、横軸には関連する部門やサプライヤーを置いている。

### 業務の流れ

調達戦略を策定するためには、まず業界やサプライヤーを調査し、基本的な調達方針を立てる。それを具体的な計画に落とし込み、前年実績や市況を踏まえて想定予算額を策定していく。また、過去の調達活動実績を分析し、ＫＰＩに基づいて評価して、次の調達戦略の立案に反映させる。

図表 3-1
## 調達業務の全体像

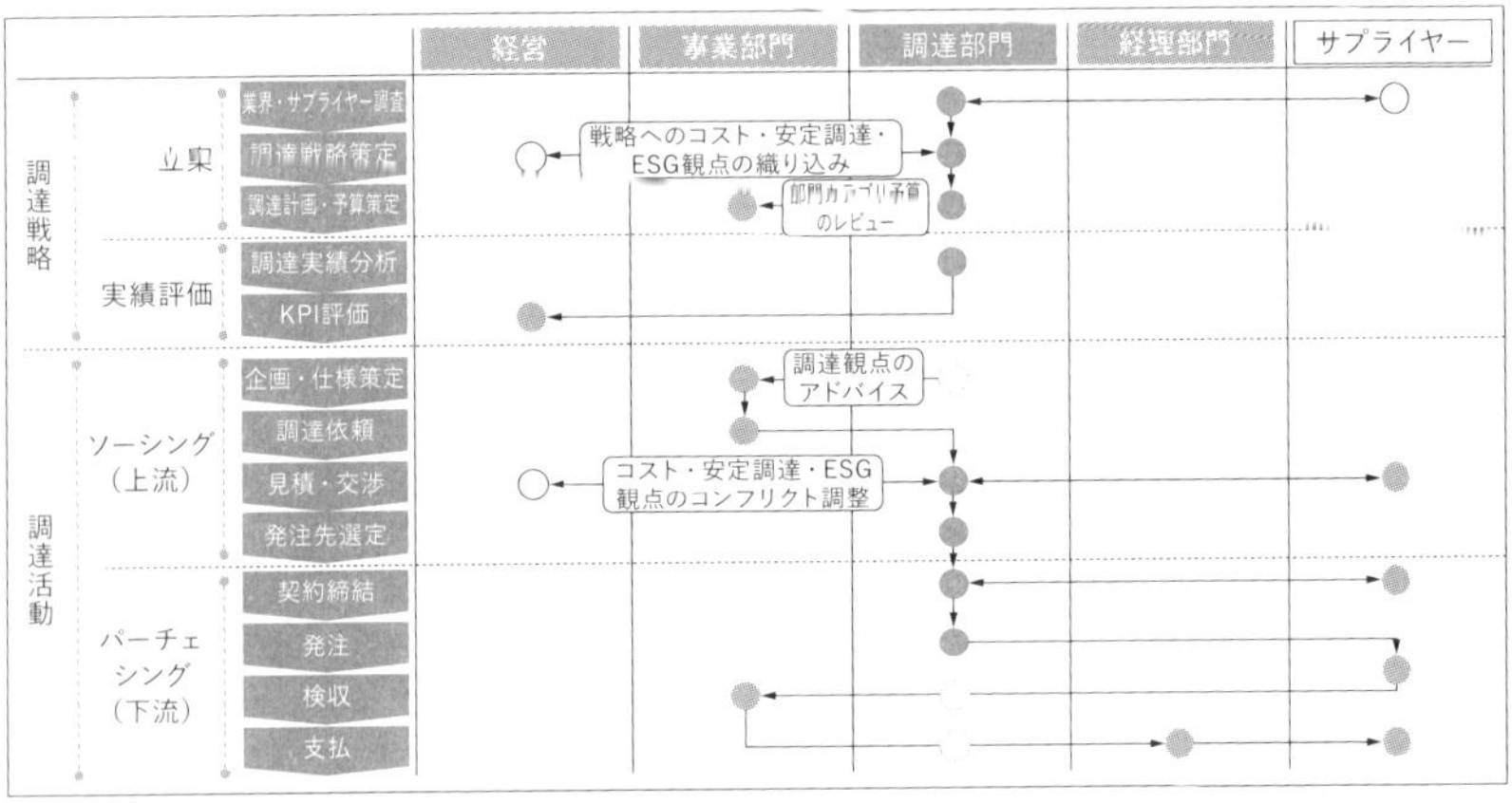


出所：ボストン コンサルティング グループ

この戦略に沿って、実際の調達活動が行われる。これは上流工程のソーシングと下流工程のパーチェシングで構成されている。ソーシングでは、企画書や仕様書を策定し、それに沿ってサプライヤー候補に調達依頼をかけ、見積もりを出してもらう。条件面を確認し、改善の余地がないか交渉し、場合によっては再提案してもらう。候補各社の見積もりを比較検討し、交渉で最適な仕様や単価条件を引き出し、発注先を確定する。

パーチェシングでは、そのサプライヤーと売買契約を締結する。その後、発注書を作成、送付し、期日通りに約束した品質、数量、仕様の納品が行われているかを確認する。問題がなければ受領を伝える検収書を作成、送付し、支払い手続きへと進む。

一連の流れは以上の通りだが、このフローは自部門だけでは完遂できない。トリレンマの環境下では、経営、事業部門をはじめ、さまざまな関係者との調整が不可欠になっている。

## トリレンマを受け、求められる機能・役割が拡大

まず、戦略構築の工程では、多様化するリスクを踏まえた、安定化やESG対応の観点からの複合的な検討が求められるようになっている。調達部門のみで解決できる領域ではなく、経営陣と密に連携しながら最適解を導き出さなければならない。

調達計画・予算の策定では、戦略に基づいた検討を財務部門や各事業部門と行い計画を最終化していく必要がある。ここでの議論も難易度が高まっている。トリレンマにより、部門間で意見の衝突が生じやすくなっているからだ（日本企業の場合は、意見の衝突にすら至っていないケースが多いが、それはこの後の項目で見ていく）。

人権問題や国際情勢の不安定化の問題が生じているサプライヤーへの発注を例に挙げよう。ＩＲや人事部門は児童に労働をさせている可能性が高い既存サプライヤーへの発注を

当然拒否するだろう。一方で、営業部門や生産部門は品質も高く、コストも圧倒的に安い既存サプライヤーとの継続取引を要求する可能性がある。調達部門は、児童労働問題の解消を前提に既存サプライヤーへの発注を許可する選択肢を持つ一方で、実際に解消されるかどうかを具体的に正しく評価しなければ先に進めない。

さらに、サプライヤーが国際情勢の不安定化により紛争が懸念される地域に拠点を置いている場合などは、安定調達面で既存サプライヤーに100％依存することによるリスクはないかといった検討・評価も求められる。財務部門や各事業部門との対話が必要なのはもちろんのこと、円滑な議論を進めるためにも検討・評価の判断基準をあらかじめ設けておくことが必要だ。

企画・仕様策定の段階では、事業部門に調達観点でアドバイスを行うことが求められる。ここで言う調達観点とは、コストのみならず安定調達やＥＳＧ対応の観点も含まれる。サプライヤーへの要求仕様の伝え方を間違えると、後にトラブルに発展しかねない。トリレンマを踏まえ、経営や事業部門と合意した最適解を基に要求仕様として明文化していく必要がある。

見積もり・交渉では、複数サプライヤーからの１次提案が出そろい、比較評価をした結果として、トリレンマの理想的な最適解を見直し、調整する必要に迫られる場面が頻繁に生じる。品質やコスト面で圧倒的に優位なサプライヤーだったとしても、安定調達やＥＳ

G対応の面が他サプライヤーに大きく劣る場合は提案を見直してもらうために交渉プランを再考する必要があるだろう。

調達機能は全社目線で経営に関与する形で、複合的な観点から検討をリードする必要があり、活躍の場が広がっているともいえる。コスト削減を担当するサポート機能ではなく、リスク管理、危機への対応、持続可能性の推進、品質の向上において主導的な役割を果たさなければならなくなっている。

# 事務屋と化す調達部門

## 機能不全に陥る調達部門

ここまで調達の役割を見てきたが、日本企業の実際の現場は、あるべき姿とかなり乖離している。少しデフォルメしているが、調達担当者の視点でありがちな状況を再現してみよう。

＊　＊　＊

調達の仕事では、ある日突然、無理難題が降ってくることは日常茶飯事だ。どの所轄部門から、どの案件が、どのタイミングで舞い込んでくるのか、まったく読めないからだ。所轄部門は、調達部門が絡むと何かと面倒だと思っている節がある。稟議書など社内手続きが煩雑だと、よく苦言を呈される。承認印が揃っていない書類を差し戻すと、所轄部門には嫌な顔をされる。しかし、それなりの金額を扱うのだから、上の人たちの承認をもらわなければならない。コンプライアンスを徹底せよと、われわれも上司から口を酸っぱくして言われているのだ。

それもあって煙たがられてしまい、年初の予算策定時に役割分担を明確にしたり、企画や仕様を決める会議に呼ばれたりすることはまずない。調達側が「この仕様や部材は値段が高い」と口出ししたり、お気に入りのサプライヤーに難色を示したりするのを嫌っているのか。はたまた、有益なアドバイスができる存在だと思われていない可能性もある。

依頼が来るのは、いつもギリギリのタイミングだ。「近々必要だから、1週間で購入契約をまとめてほしい」と、仕様の細部が詰め切れていなくてもお構いなく、ねじ込んでくる。稼ぎ頭の花形部門からの要請とあっては、拒めるはずがない。相見積もりをとって複数社を比較しながら検討する時間的な余裕はないし、あらかじめ「このサプライヤーで」と指定されているので、仮に別のサプライヤーが好条件を出す可能性があったとしても、われわれには選択権がないのだ。

交渉では、サプライヤーにお願いすることが多くなる。無茶ぶりだと重々承知しているので、こちらに有利な条件など引き出せるはずがない。とにかく素早く必要なものを確保することが先決だ。

とはいえ、コスト削減という部門ミッションを果たすために、「10%くらいは値切ってこい」とも言われている。「お願いベース」の案件でいくら頑張っても、端数を切り捨てるくらいの譲歩しか引き出せない。それどころか、足元を見られて高い値段をふっかけられても、文句をつけにくい。その結果、社内では「仕事ができない、使えない」というレッテルを貼られる。ひどく損な役回りだ。

不満を言えばきりがないが、社内での立場は弱く、こうした状況は変えられそうにない。だとすれば、持ち込まれた案件を淡々とこなし、事務作業に徹したほうがよさそうだ。いずれ人材ローテーションでここから抜け出せるだろう——。

＊　＊　＊

こうした状況から浮かび上がってくる調達部門の実態は次の通りだ。

**依頼内容を事前に把握できずにいる**

まず、所轄部門は予算策定時に、案件の詳細を明らかにして、どれを調達部門に任せるかを決めてその合意をとっておくのが理想だ。また、案件が明らかであれば、そのカテゴリーの最新動向やサプライヤーの調査など情報収集、分析といった準備ができる。しかし、そうした状態にはなく、時間的余裕がない中で依頼を受けるため、場当たり的に対応せざるをえない。

### 上流工程に絡めていない

所轄部門は、自部門だけで製品の仕様やサプライヤーの大枠を固め、価格交渉と契約締結業務だけを調達部門に任せようと考えている。必要な品質や性能とコストの最適化、サプライヤーの選定などにおいて、調達部門が貢献する機会が失われている。

### 調達依頼のタイミングが遅く、リードタイムのない状態で交渉せざるをえない

調達の依頼は納期の何日前までに行うかについての社内規定があっても、守られていないことが多い。価格交渉や安定調達のためには、製品の仕様を工夫したり、複数サプライヤーを競争させたりすることが重要だが、調達部門はそうした武器を奪われた状態で交渉に臨むことになる。

### 期待される成果を出せず、評価もされない

納期重視の「お願いベース」の価格交渉では、本来創出できる価値の1割も実現できなかったとしても仕方ないことだ。しかし、価格の引き下げや安定調達という本来の役割を果たせていない結果が続くと、社内における評価はどうしても低くなる。所轄部門が事前にすり合わせをしたがらないのは、価値を出さない調達部門と話をしても、時間の無駄だ

とみなされているからかもしれない。残念ながら、その一因は所轄部門の依頼のタイミングの遅さにあるという点は顧みられない。

## 事務処理部門と化している

あらゆる案件の契約手続きや検収業務を一手に担わされ、膨大な作業工数をこなす状況になりがちだ。本来の付加価値を生むべき戦略調達や重要案件に十分な時間を割くことができず、専門性が高められない。事務屋であることを甘んじて受け入れている担当者もいるほどだ。

## 環境変化に対応できていない

調達部門を取り巻く環境の急激な変化に伴い、調達部門は新たなコスト上昇要因への対処、供給リスクの増大を背景にした調達の安定化、ＥＳＧへの対応などの新たな価値貢献を求められている。

いずれも従来の調達部門の業務の延長線上では対応が困難だが、これらの課題に対処するケイパビリティを兼ね備えられていないことが、調達部門の大きな課題となっている。

一方、社内からは当然環境変化への対応を期待されるため、調達部門への期待と実際のパフォーマンスのギャップは拡大の一途をたどり、調達部門の評価が悪化するという悪循環に陥っている。

## 間違った方向性で、プレゼンスを出そうとする

調達部門長が自ら、社内でプレゼンスを出すために、コンプライアンス徹底強化の旗振り役となっていることもある。承認の手続きを重層化させて、その徹底を担保することを、自部門の存在意義としてしまうのだ。関係者間で何度も書類が行き来し、社内処理だけで最低2～3週間もかかったりする。手続きが複雑になるほど、所轄部門は負担を感じ、依頼を先延ばしにして、切羽詰まってから緊急対応を求めるという構図になりやすい。

## 調達部門の活躍を阻む障壁

このような、調達担当者からすれば理不尽にも思える状況はなぜ生じるのだろうか。背後には、戦略、プロセス、組織、人やスキル、システムやデータにおける根深い問題がある。それぞれについて見ていこう。

### 戦略の課題——経営上の重要機能と位置づけていない

調達部門が本領を発揮できていない一因は、経営上の重要機能として扱われておらず、調達のトリレンマ「コスト」「安定調達」「ＥＳＧ」への対応が戦略上の重要事項とはみなされてこなかったことにある。

日本企業でこれまで重視されてきたのは、売上成長や新規事業・製品開発などだ。事業戦略や売上創出に直接的に貢献する経営企画や営業部門、あるいは、「いいものさえつくっていればよい」という考えの下で、ものづくりに携わる生産設計、研究開発部門などが花形とされてきた。それとは対照的に、調達部門の社内でのポジションは低く、価値創出部門ではなくトランザクション処理部門という位置づけになっている。

## 経営層の関心が向けられない

調達部門が重視されておらず、必要な資源配分がなされないため、十分な成果を上げられないケースが多い。そのような場合、経営層は往々にして、調達部門のケイパビリティや課題解決力を疑問視している。特に、コスト以外のＫＰＩが重視されている部門の担当役員はその傾向が顕著だ。多くの場合、研究開発では新製品開発の期間や質が、営業では売上が、ＩＴ部門ではシステムの安定稼働が重視され、コストは二の次となりやすい。トップの関心が別のＫＰＩに向けられていれば、その部下はわざわざ調達部門の力を借りようとは考えなくなる。

ちなみに、コストを非常に重視する企業では、コストが1円でも予算を超えたら、社長決裁をとる決まりを設けるなど、予算管理を徹底している。そうなると、どの部門も調達部門をうまく活用して、なるべく有利な条件で必要な部材を手に入れようと必死になる。当然ながら、情報共有や連携など、調達部門への協力は惜しまない。言い換えると、社内での位置づけや、マネジメントの関心の方向性を意識的に切り替えていけば、調達部門の状況はかなり変わる可能性があるということだ。

### 適切な評価基準が設定されていない

先述したように、調達部門の業績評価項目としては、調達金額、コスト削減率、処理件数などが考えられるが、現実には明確なＫＰＩが設定されていない、あるいは、設定しているが曖昧さが残っている、ＫＰＩの達成がそのまま業績評価に反映されないという企業もかなりの数にのぼる。

例えばコスト削減率では、本来の予算額からどれだけ削減したか、それとも、当初の見積もりからどこまで引き下げられたかを見るのか、基準が定まらなければ適切にＫＰＩを測定できない。いくら担当者が交渉力を発揮して良い条件で調達契約を妥結しても、その成果は経営層からは見えづらいものとなる。

また、処理件数で評価する場合、金額の小さい案件を多くこなせばＫＰＩは向上するので、事務作業に忙殺されるが、金額インパクトは出ないという状況を招きやすい。最近では、コスト面だけでなく、安定調達やＥＳＧ対応も調達機能に期待されるようになっており、特に調達機能の弱い企業はＫＰＩや評価基準を見直す必要がありそうだ。

## プロセスの課題――調達の本来の力を発揮する仕組みがない

調達部門が付加価値を出せていない背景には、社内での位置づけだけでなく仕組みやプロセスにおける課題もあり、見過ごすわけにはいかない。

### 他部門による職域侵犯を甘受している

調達部門の実態として、本来は調達が担当するはずのサプライヤー選定機能ですら他部門に奪われていることを挙げた。他部門が調達部門を敬遠するのは、「他のサプライヤーを使えないのか」「この機能は本当に必要なのか」と追及され、「コストの最適化には、他のサプライヤーを使って競争させよう」と時間のかかる提案をされるのを避けたいからだ。研究開発チームは往々にして、起用するサプライヤーについて強いこだわりを持っており、コスト以外の側面を重視していることがある。調達部門に代替案があったとしても、社内での立場が弱いため、所轄部門に押し切られてしまう。

サプライヤーとの交渉の窓口が調達部門に一本化されていないケースも少なくない。一見すると些細なことのようだが、こうしたことも成果を上げられない要因となる。というのも、所轄部門と調達部門の担当者が別々に交渉すると、交渉条件にバラツキが出て混乱が生じ、交渉力の低下を招きやすいためだ。

実は、サプライヤーから見ると、交渉に不慣れな所轄部門の担当者は調達担当者よりも与しやすい相手だ。例えば、調達担当者から一部仕様を削除した見積もりを再作成するよう求められても、手練れのサプライヤーは所轄部門の担当者に電話して直談判し、仕様変更なしで構わないという言質をとったり、調達側と事前に合意したスケジュールを反故《ほご》にしたりしてしまう。これでは、調達担当者が必死に交渉しても水の泡となる。

## 複雑なプロセスにより、承認までの工数や時間がかかる

調達業務では複雑な承認プロセスや書類作成が求められる。例えば、ある企業では、所轄部門で稟議を経た後、調達部門はそれに沿って調達手続きを進めて再び稟議書を作成し、また所轄部門で承認してもらうというプロセスを採用していた。所轄部門でも調達部門でも、作業工数や承認待ちの時間が増え、1人あたりの契約処理件数は低調なままだった。

こうしたプロセスはさまざまな弊害をもたらす。例えば、所轄部門が手間のかかる正規の契約プロセスを嫌がり、調達部門を通さずに直接契約をしたがるようになる。調達部門は実態を把握しにくくなり、所轄部門の担当者も交渉に不慣れなため、不利な条件でも受け入れてしまう可能性がある。

とりわけ問題なのが、契約内容について何度もサプライヤーに照会するため、サプライ

ヤー側の負担が増え、その分が価格に跳ね返ってしまうことだ。B to Bでは決まった相場はなく、相手を見ながら交渉条件を変えることが多い。手間がかかれば、その分が価格に反映されていく。サプライヤーは「御社には特別値引きをしたので、これ以上は下げられない」と説明するかもしれないが、実際には他社にその半額を提示しているかもしれない。このように、社内対応だけでなく、対外的な影響も含めて、無駄なプロセスを見直していくことが大切だ。

### トレードオフについて適切な意思決定の仕組みがない

調達業務の難しさは、たとえコスト低減がミッションだとしても、ただ最安値であれば十分というわけではないことだ。安価になった分、品質にバラツキが出たり、必要な性能要件を満たせなかったりすれば、元も子もない。調達コスト、安定調達、売上や株価へのインパクトなど、調達で検討すべき事項の間には、必ずトレードオフが存在する。

それに加えて、調達に関する情報や取り組みは、サプライチェーン、営業・マーケティング、広報・IR、財務などの複数部門にまたがっている。調達コストの観点からは最適な部材であったとしても、部材の変更によって製造品質に波が出るのを防ぎたい、変更について顧客と交渉を行わなくてはならないなど、各部門にはそれぞれ事情があり、コンフリクトが発生する。

さまざまなトレードオフの落としどころをどこに求めるかの判断は、調達部門の手に余るものだ。調達部門が直面しやすいパターンをいくつか見ていこう。

### パターン1　依頼部門の要望が常に優先される

非常に多いのが、一部の依頼部門の要望に基づいて、調達部門が極端な対応をとらざるをえないパターンだ。例えば、製造部門や営業部門がとにかく顧客に供給することが最優先だと主張するので、コスト度外視で何とか調達する。しかし、褒められるどころか、「なぜこんなにコストがかかっているのか」と非難されることになる。

先述したように、調達の依頼時期など一定のルールを設けていたとしても、例外措置として依頼部門の要望に応えざるをえないことが多い。ギリギリのタイミングで依頼されても、「喫緊で必要だ」、「お客様に迷惑がかかる」と言われれば、調達部門としては対応するしかない。例外措置を次々に認めていけば、ルールが形骸化する。プロセスの整備だけでなく、運用面を徹底することも課題となっている。

### パターン2　あらゆる観点でサステナビリティ対応を最優先にする

最近、「環境負荷をかけない素材を使ったパッケージを使っています」というように、関係機関から認証を取得して消費者にアピールしている商品をよく見かける。認証を取得して対外的にアピールすることが悪いわけではないが、それによって選択肢が確実に狭まることを忘れてはいけない。特に、調達の観点から見ると、QCD（品質・コスト・納期）の観点で優秀なサプライヤーを選定できなくなる可能性が高まる。そうしたトレードオフも含めて、目的や重要性を検討したうえで、環境対応をするかどうかを意思決定しなくてはならない。

多くの企業がグリーン電力の利用を増やそうと動いているが、問題は、サステナビリティ対応に乗り出せば、ほぼ間違いなくコストが大幅に上昇することだ。ある企業では、ネットゼロを実現しようと、すべて再生可能エネルギーに切り替えたところ、想定以上のコストがかかることが判明し、経営層も問題視した。すると、なぜか価格交渉に問題があったことになり、調達部門に火の粉が飛んできたという。

本来であれば、経済合理性も加味しながら、再生可能エネルギーだけでなく排出権取引など多様な方策を組み合わせて、複雑な方程式を解かなくてはならない。調達部門がグリーン電力の調達コストを提示して、それでも本当に導入するかという検討ができていれば、こうした問題は未然に防げただろう。

関係部門と協力しながらオプションを整理したうえで、経営層の判断を仰ぐといった仕組みやプロセスが必要であり、特に全社的な検討や意思決定事項についてはトップマネジメントが主導する形をとったほうがよい。

## パターン3　サステナビリティ対応をないがしろにして、失注や株価下落を引き起こす

パターン2とは裏表の関係にあるのが、財務上の都合を優先させてサステナビリティ対応を軽視してしまうケースだ。サステナビリティに関する社会的な要請は高まっており、環境や人権に配慮した持続可能な調達を達成するための取り組みが求められている。労働環境や地域社会との共生に問題を抱えるサプライヤーとの取引は、発注側の企業にとってもレピュテーションの毀損や取引機会の喪失につながりかねない。

初期の事例として、1990年代後半に起きたあるスポーツメーカーのケースがある。この企業の製造委託先のインドネシアやベトナムの工場では、労働者が低賃金で長時間働かされ、そこには児童も含まれていることが発覚した。そうした劣悪な労働環境を放置しているとして、NGOがこの企業を非難してキャンペーンを打ち、世界的な不買運動に発展していった。また、大手テクノロジー企業でも同様に、長時間労働や過酷な労働環境などが問題視され、火消しに追われることとなった。

これは海外企業のみが直面している問題ではない。日系電機メーカーの調達先であるマレーシアの電子部品メーカーでは、ミャンマー人の移民労働者が人権侵害に当たる不当な扱いを受けていることが発覚した。当該のマレーシア企業は訴えられ、NGOも激しく非難したが、それだけにとどまらず、発注者の日系電機メーカーにも矛先が向けられた。抗

議が殺到しデモまで起こり、その収束に半年を要した。

日系アパレルメーカーの中国の製造請負会社の過酷な労働環境に対し、地元のＮＧＯが警鐘を鳴らした例もある。その後、カンボジアの縫製工場でも同様の問題が発覚し、国際的に大きく報じられた。

サステナビリティ対応は優先しすぎても、ないがしろにしすぎても問題があり、どの企業にとってもバランス感覚が試される領域である。

## 組織の課題――事務処理に忙殺され、サプライヤーの代弁者となってしまう

調達部門が付加価値をつけられていないケースでは、事務処理部門と化してしまい、優先順位が不明確なまま、大量の業務を捌くことに忙殺されていることが多い。また、本来の役割を怠り、サプライヤーの代弁者となってしまうケースも往々にしてある。

### 業務の優先順位がつけられていない

事務処理に追われていると、インパクトや難易度などを加味して優先順位をつける余裕はない。また、調達業務の主管部門が分散化している場合は、各拠点の責任者が個別に判

断して活動するため、会社全体で優先順位をつけることもできない。そうなると、どんな案件でも依頼が来た順番に、機械的に処理することになりやすい。

通常は業務を集約したほうが作業効率は高まるが、やり方を間違えれば逆効果になりうる。例えば、ある企業では集約購買というコンセプトの下で、調達部門の管掌範囲を拡大し、ほぼすべての取引について調達部門を経由させるプロセスを導入した。すると、毎日何千件もの案件が押し寄せ、従来の要員では業務が回らなくなった。急遽増員したものの手が足りず、子会社の事務処理会社まで活用して契約締結や検収などの業務に奔走することとなった。その結果、戦略立案やソーシングに時間をかけられず、「成果を出さないのに人員ばかり増えている部署」という烙印を押されてしまった。

調達担当者としては、社内の覚えも悪くなったうえに、単調な作業で忙しく、前向きな姿勢で仕事をする気持ちになれない。重要案件の精査がますます滞り、結局、新プロセスを導入する前よりも調達リスクが高まってしまった。

集約するという方向性は間違っていないが、何を集中すべきかの見極めは重要だ。付加価値を出すべき業務に工数をかけられないとすれば、本末転倒である。優先順位をつけて、重要な案件にリソースを配分し、そうではない業務については負担軽減を考えていく必要がある。

## 安易なBPOによって業務がブラックボックス化する

ＢＰＯ（ビジネス・プロセス・アウトソーシング）は膨大な事務作業に悩まされている調達部門にとって、効果的な打ち手の１つだ。ただし、その効果を最大化するためには、ＢＰＯの前にあらかじめ業務効率化を行うことが鉄則だ。不要な作業や重複作業をなくして、どのレベルの案件にどのくらいの頻度で対応するのかを見直して簡素化し、仕事の手順やタイミングを整流化していく。そうすれば、ＢＰＯベンダーへの業務の移管がスムーズに進み、委託費用を低く抑えることができる。

しかし、現場はとにかく忙しいこともあって、業務の断捨離や簡素化というステップを飛ばしてＢＰＯを導入しがちだ。その結果、例外処理が発生するたびに現場に差し戻すという事案が頻発し、ＢＰＯを管理する作業が逆に増えてしまう。あるいは、システムのカスタマイズやアドオンが過度に行われて、もともとの社内プロセスが複雑化し、ＢＰＯを利用したくてもできないこともある。

あるいは、ＢＰＯが可能だとしても、委託費用が高止まりしてコスト削減に役立たないかもしれない。というのも、ＢＰＯベンダーと発注者は本質的に利益相反の関係にあるからだ。ＢＰＯベンダーにとって、委託される作業量が減れば、収益が減ってしまうので、手続きを省いて効率性を高めるような提言は期待しにくい。むしろ、「業務効率化を待っていては、いつまでたってもＢＰＯができません」「ＢＰＯをご利用いただければ、私たちのツール群を用いて圧倒的な効率化が可能です」と、現状のままBPOの利用を推奨される可能性が高い。

いったんベンダーに委託した業務はブラックボックス化しやすいが、ベンダーは顧客に継続利用してもらいたいので、情報開示は最小限に留める傾向がある。こうした状況は調達部門に限らず、アウトソース全般で起こりやすい問題なので注意したほうがよい。

## サプライヤーの代弁者となって、本来のチェック機能を果たせない

事務処理に重点を置く企業で起こりがちなもう1つの例が、手間のかかるサプライヤーとの交渉を嫌い、調達担当者がサプライヤーの代弁者となって、提示された条件の正当性を社内で説いて回る役目を担ってしまうことである。特に、昨今のようにインフレ環境下では、サプライヤーは強気な値上げ幅を提示してくることが通例だ。「インフレで原材料が高騰しているので、この価格になってしまう」というサプライヤーの説明を鵜呑みにし、本来行うべきコストの精査を怠ってしまうことがある。

しかし、インフレ下でも製品や原料単位で見ていくと、必ずしもすべてが値上がりしているとは限らない。競争が激化しているため、むしろ値下げしている品目も見つかる。安定調達のためにはサプライヤーに譲歩するしかないと思い込んでいると、本来は回避できたはずの損失が膨らんでいく。構造的な要因がいろいろあるにせよ、調達部門としても、

特に重要な契約については、しっかりとチェック機能を果たしていく必要がある。

## 人・スキルの課題――必要な人材が配置されず、スキルを伸ばせる環境にない

環境変化を受けて調達業務の高度化が進む中、調達部門を支える人材にはこれまで以上に多様なスキルが求められている。しかし、それを支える人材の供給・育成がないがしろにされている企業も多い。

### エリートのキャリアパスから外れている

重要部門とみなされない結果として、人材の配置や育成にも影響が及ぶ。例えば、ある大手エネルギー企業の調達部門は、短期間での異動が人事慣習となっているため、カテゴリー戦略やソーシングに長けた人材が育っていないという。また、ある大手製薬会社では、ジョブローテーション制度により最長でも5年程度で他部署へ異動することが通例となっていた。

ジョブローテーションでは、主にバックオフィス（間接部門）を中心に配置され、調達依頼を出すフロントオフィスを経験することはほとんどない。所轄部門の事情がわかって

いれば調達上のアドバイスをしやすくなるが、お互いの仕事について理解を深める機会はほとんどない。また、不利な状況で交渉に臨むため、十分な成果を上げられない。すると、インパクトを出せないのに、手続きの手間だけかかる機能として他部門から認識され、社内でますます軽視される。

他部門から業務の下請け先のように扱われ、単純作業ばかりでは、担当者のモチベーションは上がるはずがない。調達部門はスキルアップやキャリアアップに役立たないとみなされ、エリート人材がぜひ経験したいと手を挙げることもない。それどころか、他部門で好成績を出せなかった人を集めた傍流と見られている企業すらある。こうして、ますます士気の低い組織となり、担当者は不満を溜め込んでいく。

## 専門性を磨く機会が少ない

調達部門が上流工程に絡めない要因はいろいろあるが、専門性に対する期待の低さは根深い問題といえる。最終局面での価格交渉や、検収などの事務作業ばかり担当していては付加価値は出せないし、専門性も身に付かないだろう。

一方、調達を重要部門と位置づけている企業では趣がかなり異なる。例えば、自社で内製するか、外部から調達するかは、採算性、自社のケイパビリティ、競争優位性を左右する重要な意思決定事項だ。その検討段階から調達部門が積極的に関与し、調達先候補や調達コスト分析などの情報を提供し、外製か内製かの判断に貢献している。しかも、単純なコスト比較にとどまらず、採用する部材や仕様、他社と比べて設計、生産、技術に差別性があるか、限界利益を睨みながらどの品質レベルまで妥協するのかなど、より複雑な観点を理解したうえで、議論に参加している。

開発購買においても、製品を構成する機能を分析評価してコストを最小化するバリューエンジニアリングや、必要部品や技術を持つ国内外の新規サプライヤーの開拓などで調達担当者が活躍している。製品開発の段階から調達部門が関与すれば、下流工程での価格交渉を中心としたサプライヤーマネジメントだけでは達成できないレベルの成果が実現可能になる。

ただし、そのためには、開発・設計部門と効果的に協働するための技術的知見や、さまざまなソースからサプライヤー情報を収集・蓄積していることが求められる。こうした知見の習得は調達業務を経験するだけでは難しい。つまり、間接部門中心のジョブローテーションでは問題があるということだ。調達機能を重視している企業では、例えばＲ＆Ｄ部門と調達部門を行き来させる人事異動を通じて、調達担当者がＲ＆Ｄの最先端情報に触れられるようにしている。

## 新たに加わったサステナビリティ対応業務に翻弄される

サステナビリティ対応に関する社会的要請が高まる中で、調達活動においてもサステナビリティ要件を満たしていることが、取引の開始や継続の条件になりつつある。特に外資系企業はサステナビリティ対応を重視しているため、重要サプライヤーに対してはサステナビリティ観点で評価や監査を行い、問題があるサプライヤーには是正措置を求めている。昨今はそのような評価・是正の対象を、主要サプライヤーに限らず拡大する傾向が見られる。

従来のサプライヤー評価手法にも、ＥＳＧに関連する項目は含まれていた。例えば、新しいサプライヤーとの取引では信用調査を行い、サプライヤーが不正取引や法令違反など不適切な行動をしていないことを確認していた。ただし、その際に使っていた質問票は財務や法務観点の評価項目が中心だった。最近では、それらに加えて児童労働の禁止を徹底しているか、温室効果ガス排出量の削減に取り組んでいるかなど新たな項目が追加されるようになった。

こうした動きは企業としてのマテリアリティ（重要課題）の実現に役立つ一方で、サプライヤー評価の実施をアピールすることが目的化している企業も見かける。重要度の低いサプライヤーも含めて全取引相手にアンケートを出し、集計し、評価スコアが何点だったとレポートをまとめることが調達部門の定型業務に加わっているのだ。時には、本社と事業部門が重複してサプライヤー情報を分析しているケースもある。

サプライヤー情報を入手した後に、取るべきアクションが規定されていないこともある。スコアの低いサプライヤーにどのように働きかけて改善を求めていくのか、それをどのように監査するかという検討につなげていかなければならない。

ところで、サステナビリティ関連項目のサプライヤー調査や分析を請け負うサービスや第三者機関も登場している。海外では利用することが一般化しつつあり、日本企業でも先進的企業が先導する形でここ数年間で少しずつ導入が始まっている。しかし、これまでは国内サプライヤーへの浸透度が必ずしも高くなかったこともあり、国内取引の比重が大きい企業では導入する真価を見出しきれず、わざわざ費用をかけて、プラットフォームを使う必要があるのか、と二の足を踏んでいた。

実は、こうした状況はサステナビリティ対応全般に当てはまる。調達部門は対応を迫られているにもかかわらず、トリレンマを解く必要性を社内でうまく説明できなかったり、コストをかけてどこまで踏み込むべきか判断がつかなかったりして、結論が先延ばしとなってしまうのだ。サプライチェーン上で自社の企業ブランドに多大な影響を及ぼしかねない深刻な問題が生じた場合に、調達部門としてタイムリーに適切な情報を把握できず、対応が後手に回ってしまう。結果的に調達起因で自社のレピュテーションが毀損する状況は何としても避けなくてはならない。

## システム・データにおける機能不全

調達業務に用いるインフラとしてのシステム構築やデータの把握・管理は、業務効率、成果に直結するが、適切な整備がなされていない企業も多い。

### 調達活動が可視化されていない

調達機能を最適化させるためには、まず社内における調達活動の全体像を把握する必要がある。どの品目カテゴリーをどのサプライヤーから調達しているのか、その取引金額はどれくらいかなど、実態を可視化する段階で苦労する企業が非常に多い。というのも、複数の事業を抱える製造業では、事業部門ごとに材料、部品、原料を調達したり、工場や支社など拠点ごとに調達部門が置かれたりしているからだ。

直接材については調達機能を集約していても、間接材の購買、業務委託、人材の手配、車両のリースなどは他の間接部門が担当し、調達部門の主管業務ではないということもある。

さらに、組織横断的なデータ管理が不十分で、断片的な情報しか入手できない、更新されず古い情報のままである、フォーマットがバラバラでまとめにくいなど、ＩＴシステムの問題もある。それを整理するだけでも、多大な工数や人手がかかってしまう。本来は重要度の高い品目カテゴリーに絞ってリソースを割くべきだが、可視化できないので判断できず、総花的な調達戦略になっているのが多くの現場の実態だ。

## 業務効率化につながらないITシステム

ここ数年デジタル化が推進されているが、残念ながら、調達機能の本質的な最適化を目的としてＩＴシステムを導入したり、そのための予算が組まれることはまれだと言わざるをえない。

全社的に基幹システムを導入する場合にも、調達の観点で現状の取引状況を把握したり、調達品目や単価を分析したりすることは考慮されていない。取引可能な品目がわからなかったり、取引先の登録情報が不十分だったり、カタログ、都度見積もり、契約請求、請求書払いといった活動が網羅されていなかったりするのだ。調達品目は、その都度交渉する場合もあれば、カタログで価格表が決まっている場合もある。調達コストを下げる際には、安く勝ち取った単価を全社に適用するのも１つの方法だが、交渉の成果がシステムに適切に反映されなければ、実際の契約や購買には生かせない。

このような状況のため、調達部門では古いシステムをだましだまし活用したり、安価だが不十分な評価システムを導入したりすることが多い。しかし、基幹システムにつながらないまま、むやみに個別システムを増設することにはリスクもある。これまで蓄積してきたデータがシステム移行により閲覧できなくなったり、本来必要なデータが取得・蓄積されなくなったりすれば、かえって業務に支障が出てしまうからだ。

最新システムを導入するときには、業務プロセスの標準化や簡素化が欠かせない。標準化が不十分な場合、カスタマイズや機能の追加が増えて、コストがかさみ、マニュアルが複雑化していく。一方、標準パッケージを使う場合には、実態のプロセスと乖離があるため、やはり使いにくさが残ってしまう。

こうしたシステムの使い勝手は、調達部門だけの問題ではない。所轄部門との情報連携も進まなくなるのだ。ベンダーから提供されるシステム操作マニュアルは往々にして、利用者の目線に立って購買に必要なデータを入力できるような説明がない。社内の利用促進に役立つようなツールを整備していく必要がある。その推進役はＩＴ部門ではなく、業務の意義とデータの価値を熟知している調達部門が務めなければ、無用なシステムと化してしまう。

このほか、ユーザーの問い合わせ対応、継続的なユーザー教育が十分に実施できていなかったり、カテゴリーマスター・取引先マスター・ユーザーマスターなどのメンテナンスが滞ったりと、システムの運用体制にも課題がある。

## グローバルでITシステムが統一されていない

先述したサプライヤーの可視化について、国内で直接相対するティア1の主要サプライヤーはマネジメントできていても、ティア2以降の下請け先や海外も含めたサプライヤーの対応は後回しになっている企業が多い。これは、利用しているITシステムにも問題がありそうだ。世界各地にグループ会社や拠点を持つ企業では往々にして、各地域で個別にシステムが導入されているため、調達実績の全体像を把握しにくくなっているのだ。

グローバルでの調達活動を最適化するうえでは、共通品目や共通サプライヤーを特定することが重要だ。しかし、データを管理するカテゴリーマスターや取引先マスターが統一されていないと、同じ品目やサプライヤーが別々に重複登録されていても、気づかないことがある。

## 調達機能の刷新は経営アジェンダである

ここまで見てきたように、調達部門は現在かなり苦しい立場に置かれ、改善すべき項目は多岐にわたる。特に厄介なのが、マネジメント、戦略・仕組み、オペレーションの課題が複雑に絡み合い、悪循環がさらなる悪循環を呼ぶ状況になっていることだ。

繰り返しになる部分もあるが、ここで一度整理してみよう（図表3－2）。調達部門は社内での位置づけが低い。というのも、膨大な事務作業に追われ、人事制度の問題もあって、専門性が十分に高められないからだ。すると、思うように成果を出せずに、経営層から軽視される。

成果が出ないのは、企画や検討をする上流工程に関与できないことにも原因がある。複雑な承認プロセスも災いし、他部門は依頼を先延ばしして、ギリギリにしか連絡がこない。前もって依頼に応える準備や時間をつくれないまま交渉に臨めば、ますます期待される成果は遠のき、役に立たない部門と思われ、社内の地位は下がっていく。せめて重要案件は

図表 3-2
**調達部門の現状**

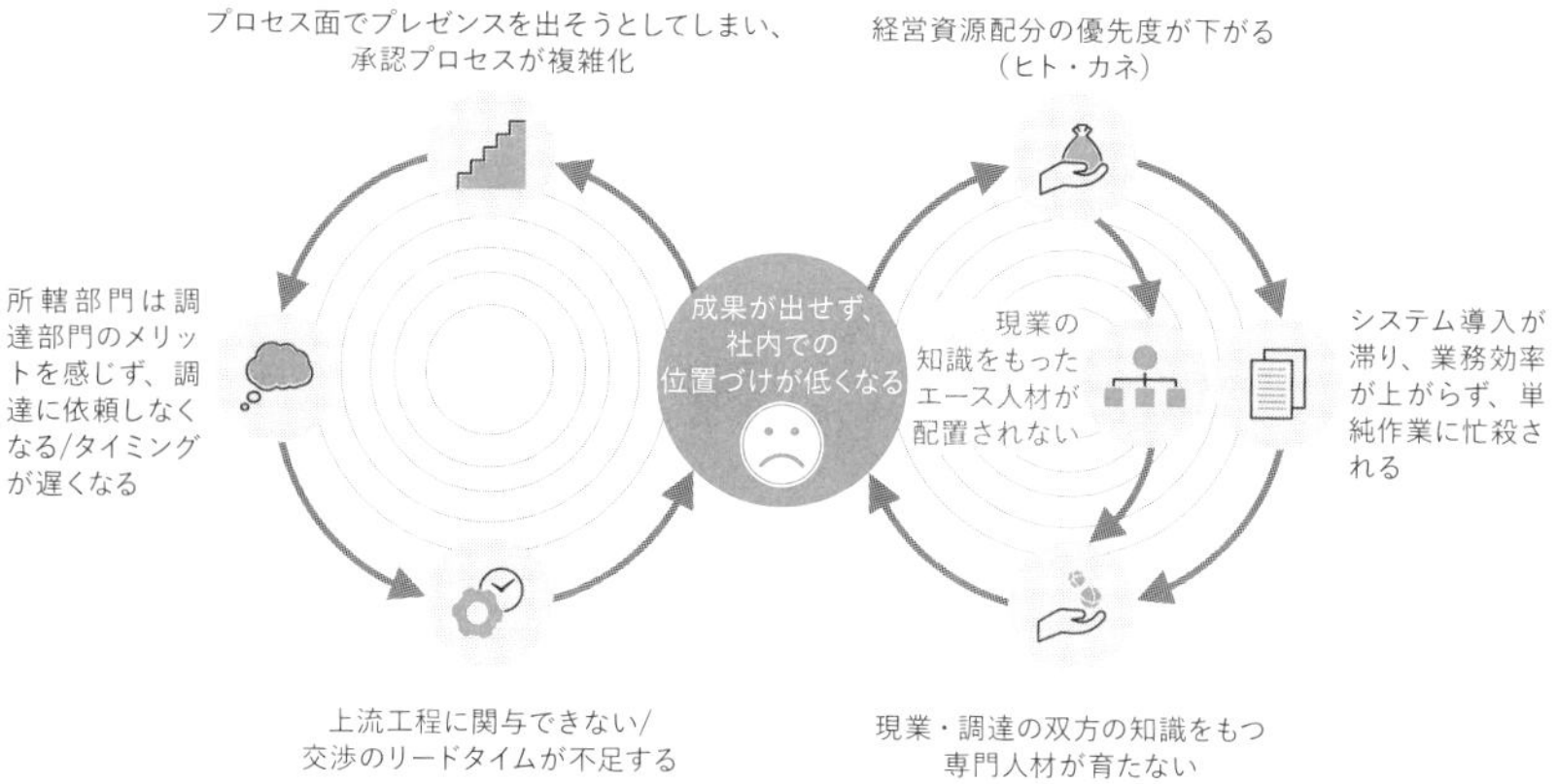
プロセス面でプレゼンスを出そうとしてしまい、承認プロセスが複雑化
経営資源配分の優先度が下がる（ヒト・カネ）
所轄部門は調達部門のメリットを感じず、調達に依頼しなくなる/タイミングが遅くなる
成果が出せず、社内での位置づけが低くなる
現業の知識をもったエース人材が配置されない
システム導入が滞り、業務効率が上がらず、単純作業に忙殺される
上流工程に関与できない/交渉のリードタイムが不足する
現業・調達の双方の知識をもつ専門人材が育たない

じっくりと精査したいが、業務状況が可視化されておらず、優先順位をつけられる状況にない。

また、デジタル・テクノロジーを活用して業務の効率化を図りたいが、ここでも社内での位置づけの低さがネックとなり、基幹システムには調達機能の要件が十分に反映されない。つぎはぎのシステムで対応するため、業務の可視化が進まず、他部門との情報共有や連携もままならない。

ここで明らかなのは、調達部門にもっと頑張れと自助努力を促す、調達に関する社内ルールを設定して他部門に厳守を呼びかける、忙しそうだから人を増やすといった表面的な対応だけでは、決して機能不全は解消されないということだ。

しかも近年は、安定調達の難易度が上が

り、サステナビリティ対応という新たなミッションが加わっている。1章で言及した「コスト」「安定調達」「ＥＳＧ」という調達のトリレンマは、それぞれ個別に対処するだけでは解決できない。所轄部門の要請に応えて、安定調達やサステナビリティ対応を重視すべきなのか、コストを下げるべきなのか。調達部門は板挟みになり、解決できずにいる。相反する複雑な要素間のトレードオフを見極め、どれを優先させるかは経営判断である。特にサステナビリティ対応については、全社的に検討をリードする担当役員を明確にしてトップダウンで進める必要がある。

経営トップは調達部門が置かれている現状を認識し、経営アジェンダとして調達の課題に目を向け、一刻も早く手を打たなくてはならない。それについては、4章で詳しく説明したい。

## コラム　現場主導で「攻め」の調達を目指す

現在の状況下で、調達部門は従来の機能を果たすのみでは他部門の要求に応えられなくなってきている。経営アジェンダとして取り組む必要があるのは前述の通りだが、現場も目線を上げていく必要がある。視野に入れるべきは「守り」の調達から「攻め」の調達への進化だ。

製造業を例にとってみよう。営業部門では顧客ニーズの多様化を受け、生産の小ロット化や製品サイクルの短期化への対応が発生したり、需要予測が難しくなったりしており、供給の遅延や過剰在庫が積み上がるリスクが高まっている。研究・開発部門でも市場のニーズに応じて製品の原材料が多様化・ニッチ化しているため、取引先サプライヤー数が増えているうえに、新規サプライヤーを検討する機会も増え、サプライヤー選定や管理の範囲・難易度が増大している。その結果、調達部門への期待値は高まり、対応が追い付かない場合には低評価につながってしまう。

こうした状況に対処するには、調達が先読みして提言する「攻め」の調達に変化し

図表3-1（再掲）
## 調達業務の全体像

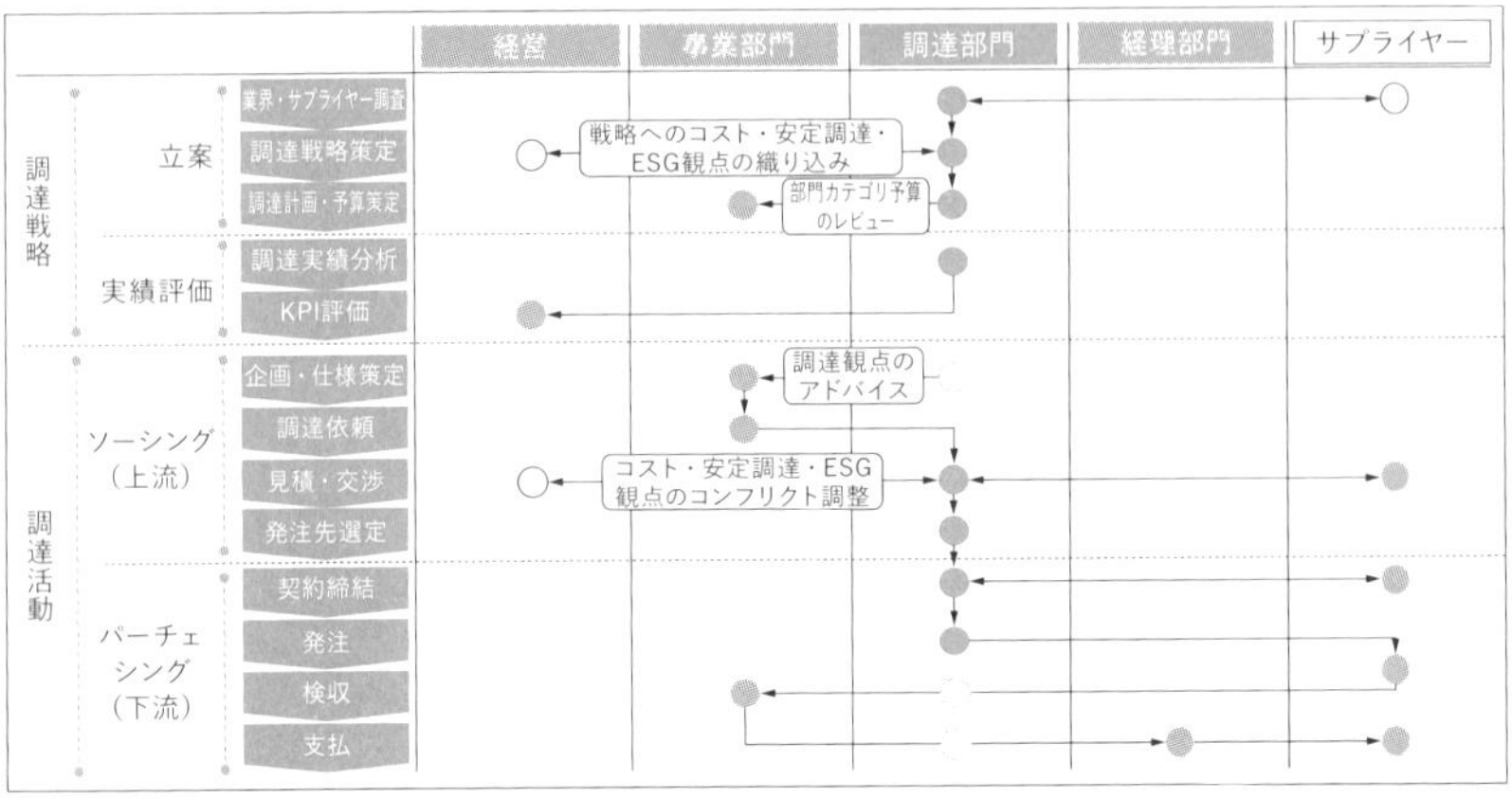


出所：ボストン コンサルティング グループ

ていく必要がある。

理論上はわかっていても、実行に移すとなると不足しているリソース・ケイパビリティを補ったり、経営層・関連部門を巻き込んだり、具体的な評価指標を明確化しなければならなかったりと課題は多い。しかしこの状況は、業界・事業特性により多少の差はあれど、私たちの経験からするとどの業界にも当てはまるトレンドであることは間違いない。企業がトリレンマを克服して企業価値を向上させるために、「攻め」の調達は欠かせないといえる。

では、「攻めの調達」とは具体的にどのようなものか。調達業務は「調達戦略」と「調達活動（ソーシング）」「調達活動（パーチェシング）」に大別されるが、「攻め」とは、「上流の調達戦略と調達活動（ソーシング）で他部門の要求にタイムリーに応え、企業価値を高めるレベルまで強化する」こととといえる（図表3－1再掲）。

例えば調達戦略においては、製品の開発・生産設計段階から調達部門が参加し、供給面や品質の安定性、サステナビリティ対応を踏まえた調達の観点から原材料・調達サプライヤー選定の提言を行う。ソーシングにおいては、部門の調達計画をレビューし、サプライヤーリスクのモニタリングを実施して、その時々に応じた調達方法（競争入札か優先サプライヤーとの長期契約かなど）やサプライヤーの選定方法に関する提言を行う。

ただし、「攻め」の調達に画一的なモデルはない。また、グローバルの先進企業をモデルにしようとしてもそのまま自社に当てはまるわけではない。自社が川上・川中・川下のどこに位置するのか、競合とどのような関係にあるのか、既存・潜在クライアントの数や構造などにより考慮すべき点も異なり、対応すべき調達ニーズも異なる。各業界・各社の状況を踏まえた「あるべき姿」の策定が必要である。

「営業部門はどのようなプレッシャーをクライアントから受けているのか」「研究開発部門はどのようなニーズに対応した開発をしているのか」など、まずは社内の関連部門とよく連携して調達へのニーズを探ることが肝要である。そうした取り組みが、最終的にはバリューチェーン全体の最適化にもつながっていく。

実際に、守りから攻めの調達への変革に挑戦している企業もある。当然のことながら、どの企業も一足飛びに攻めの調達へ変わることはできない。変革プランは数年を見越して描き、受け身の業務から脱し各部門をリードするまで、調達部門が達成すべきステップと「達成」の状態を具体的に定義し、プロジェクトとして実行している。

# 4章

# 日本企業が取り組むべき調達トランスフォーメーション

---

ここまで、調達を取り巻くトリレンマ（コスト・安定調達・ＥＳＧ）の状況下における調達部門の変革の必要性、そして日本企業の調達部門の現状について述べてきた。

この章ではまず、日本企業の調達部門が目指すべき姿を俯瞰的に示したうえで、あるべき姿に向けて具体的に取り組むべきポイントを段階ごとに提示していきたい。なお、以下は、いずれも基本的にマネジメントのコミットのもと、調達部門だけでなく部門横断で取り組むべきものである。

## 提供価値を起点に調達機能の全体像を把握する

マクロ事業環境、機能面、現場の視点などさまざまな切り口で調達の現状や課題を見てきたが、私たちが調達機能の全体像について考える時は、提供価値を起点に、図表4－1のような形で俯瞰的に整理することが多い（この図をプロキュアメントハウスと呼ぶ）。この視点からは、調達機能は全体の戦略・方向性を示す「戦略」、コスト削減・品質・スピード・サステナビリティなど、調達機能が組織に提供すべき「提供価値」、価値を提供するために整備すべき「実現要素（組織・プロセス・人材／スキル・他連携など）」、データ基盤（調達戦略・調達活動のベースとなるデータ・分析基盤）」という各要素から構成されていると考えられる。

調達機能全体を進化させるためには、まずは提供すべき価値を踏まえて調達戦略を構築し、各構成要素のあるべき姿を定義し現状とのギャップを分析する。さらに変革の方向性を定め、調達機能全体の整合をとりながら進化のロードマップを策定・実行していく、という流れで考えていくことになる。

図表 4-1
調達機能の全体像（プロキュアメントハウス）

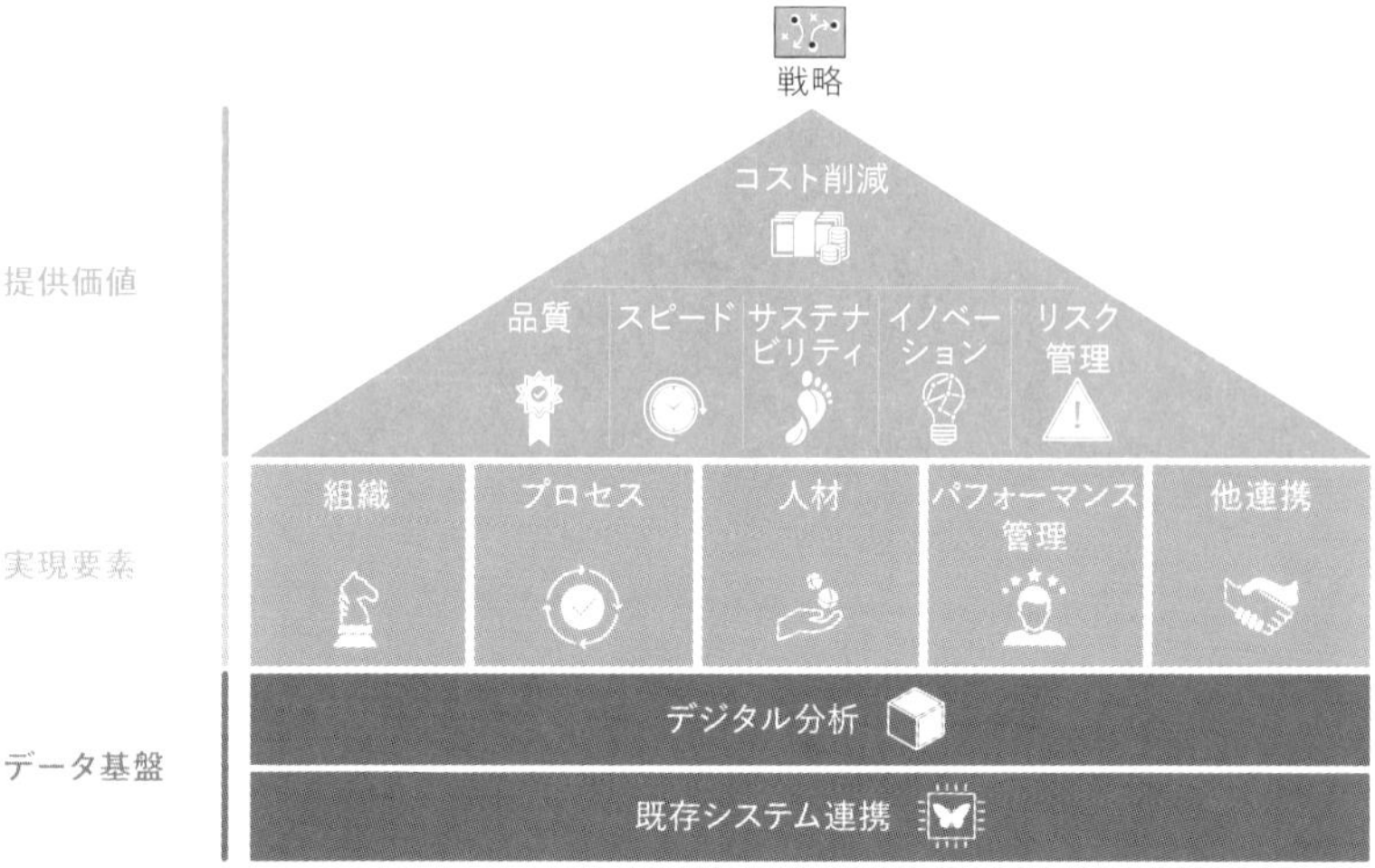


出所：ボストン コンサルティング グループ

## あるべき調達の姿とのギャップをあぶりだす

では、現在求められている調達の姿は具体的にどのように定義できるのか。一言でいうと、提供すべき価値の高度化（調達を取り巻くトリレンマへの対応）に耐えうる戦略・実現要素・データ基盤が整備されていることだ。キーワードは「全社最適・他部門連携」「自動化・高付加価値へのシフト」「統合データ・分析基盤の整備」である。図表4－2は、今後求められる姿（Procurement 3.0）に向けた進化を示したものだ。この

図表 4-2

## 調達の進化（Procurement 3.0）

| | 戦略 | 提供価値 | 実現要素 | | | | データ |
|---|---|---|---|---|---|---|---|
| | | | 組織 | プロセス | 人材・スキル | 連携 | |
| 3.0 | ・経営・各部門と連携した全社調達戦略 | ・ESG<br>・安定調達<br>・コスト削減 | ・部門横断・全社最適 | ・トランザクションは自動化、高付加価値業務にシフト | ・デジタル活用、協業スキル | ・研究開発等の関連部門・サプライヤー等と連携 | ・統合データでロングテールもカバー<br>・サプライヤーとのデータ接続<br>・AIの活用 |
| 2.0 | ・調達部門のみに限定 | ・安定調達<br>・コスト削減 | ・調達最適 | | | ・一部部門・サプライヤーと連携 | ・データはあるが拠点ごとにバラバラ<br>・主要アイテムに絞った分析 |
| 1.0 | ・なし/曖昧 | ・コスト削減 | ・個人技 | ・マニュアルベース<br>・「お願い」「力ずく」の価格交渉 | ・交渉術<br>・トランザクション業務 | ・調達部門のみに閉じた活動 | ・データの散逸、紙ベース混在 |

出所：ボストン コンサルティング グループ

図表に沿って各要素を簡単に紹介しよう。

**戦略**：経営戦略や各部門の戦略（研究開発・営業・ESGなど）と連携した全社最適観点での調達戦略を策定する。トリレンマへの対応に対する具体的なニーズは調達部門だけでなく、各部門、サプライヤーからもあげられる。ステークホルダーからニーズ・今後の動向を収集し、具体的な方向性を定めていく必要がある。

**提供価値**：これまでの対応に加え、ESGへの対応を考慮に入れる。前述の通り、ESG対応に寄りすぎても安定供給やコスト最適化が図りづらくなるため、バランスが必要だが、中期的な企業価値の維持・向上の観点でもESG要素は欠かせない。

**実現要素（組織）**：調達部門の進化を経営アジェンダに引き上げる。調達部門のトップがCEOに直接報告し、実質的な議論を行う場や、各部門トップと定期的な議論ができる場を設けるべきである。

**実現要素（プロセス）**：これまでの主要業務であったトランザクション業務（事務業務）はデジタル活用・外部リソース活用などにより自動化・省力化し、調達戦略・調達活動（ソーシング）業務に調達部門の主要リソースを割けるよう変革する。特に、リーダー層の管理・雑用をいかに省くプロセスとできるかがカギである。

**実現要素（人材・スキル）**：リーダーだけでなくメンバーの確保・スキルアップも重要だ。従来型のサプライヤーとの交渉スキルのみでなく、デジタルを活用した分析スキル、研究開発・設計部門との協業スキル（事業ノウハウ・コミュニケーション）の構築が重要であり、それを促進するスキルセット・キャリアパス・評価KPIも整備されている必要がある。

**実現要素（連携）**：トリレンマへの対応のため、研究開発・設計部門、営業部門などの関連部門やサプライヤーと連携し、サプライチェーンを一気通貫した観点での調達活動を行う。

**データ**：社内データの統合・連携と分析基盤の構築、さらに社外データの取り込み、ＡＩなどを活用した分析基盤の整備を行う。サプライヤー構成が複雑化していく中、リアルタイムの分析を行いリスクを検出し、調達部門はその対応に集中できるようなデータ分析基盤が必要である。既存システムとの連携も踏まえ、システム全体像を再構築していかなければならない。

# あるべき姿の実現に向けた調達変革の道のり

あるべき姿の実現に向けては、まずは自社の現状を診断し、ギャップを特定したうえで、その解消に向けた、改革への取り組みをスタートさせる。

すべての要素を並行して進めることは困難だが、戦略的・段階的に行うことで、調達部門を進化させていくことが可能だと私たちは考えている。では、具体的にどのような施策をどのような順で実施していけばよいのか。ここからは、変革の入り口で必要な提供価値の言語化と浸透、そして当初半年で行う「実行に向けた地ならし」、その後1年～2年で実施したい「本格展開」、状況を踏まえつつの「応用編」という段階ごとに施策を紹介していく。

## 調達部門のミッションと提供価値を言語化し、全社に浸透させる

調達変革の第一歩となるのが、「ミッションと提供価値の言語化」とそれらの「組織・

メンバーへの浸透」である。変革プロジェクトのリーダー（主には調達部門長）が旗振り役となり、経営層の後押しを受けながら、生産・企画・営業など関連部門のトップを集めて、どのような組織を目指し、何を果たすべきかを議論していく。経営層とリーダーの想いを1つにすること、具体的な言葉にすることが非常に重要であり、それが後に、変革プロジェクト全体を通じた共通理念、またプロジェクト参画メンバーの行動の礎となっていく。

私たちがプロジェクトを支援するうえでも、初期段階でのミッション・提供価値の定義を重要視している。数年にわたるプロジェクトは途中で事業環境や組織・メンバーの変化が起きることは避けられないが、一貫したミッション・提供価値を定義しておくことで、プロジェクトの方向性のずれや形骸化を防ぐことができる。

## 実行に向けた地ならし①：調達の経営アジェンダ化とガバナンス構築

プロジェクトの実行では、マネジメントが直接ガバナンスを効かせて取り組むという覚悟が最も重要である。調達のトランスフォーメーションは数年の道のりとなる。その間、トップが継続的にコミットして進めることが求められる。コスト削減、サプライヤーリスク、ESGとの両立など、必ずしも調達部門単独では解けない、かつ会社として重要なテーマを、経営アジェンダとして設定し、しかるべき体制、レポートの仕組みを整え、経営の意思入れができるような形に持っていく必要がある。もちろん、調達部門が主導して取り組むテーマも多い。しかし、それらも含めて、進捗管理や重要な意思決定に、マネジメントが関わり続けるべきである。

## 「CPO」を置き経営アジェンダとしての重要性をアピール

日本企業においては、そもそも経営陣としてのCPO（最高調達責任者）が置かれているケース自体がまれである。当然ながら、CPOが置かれていない限り社内においては調達が重要な経営アジェンダであるとは認識されない。まずはCPOを置くことから調達ガバナンスが始まる。

CPOおよび調達部門の配置は、各社の事業体や歴史的背景、同部門が置かれた目的・ミッションによって色が出るところとなる。おおむねは、①調達部門が独立した組織として配置される、②調達部門が生産などのサプライチェーン組織の傘下に配置される、③調達部門が財務や総務などの本社間接部門の傘下に配置される、という3つに大別できる（図表4－3）。

まず、①のタイプは1つの理想的なスタイルではあるが、日本企業においては実は例が

図表4-3

**調達組織の3つの配置タイプ**

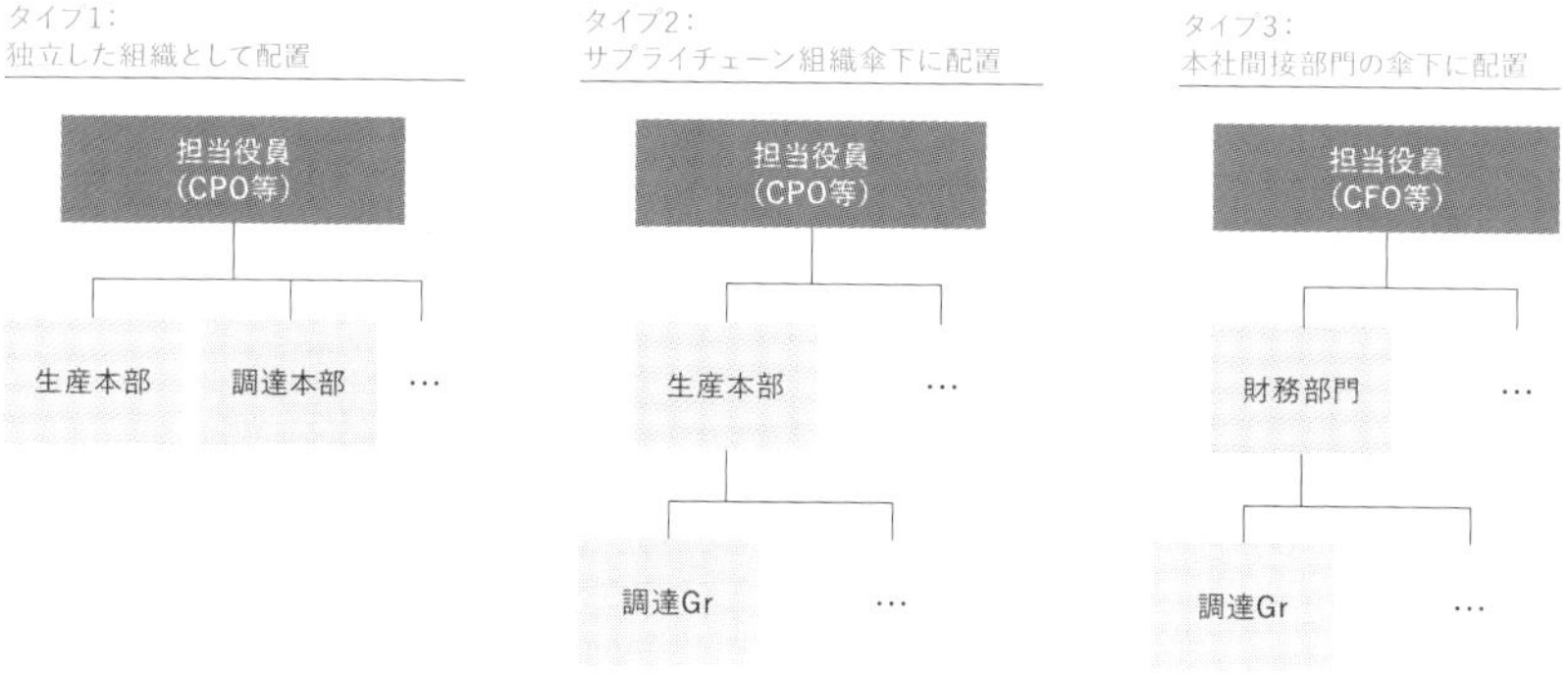


出所：ボストン コンサルティング グループ

少ない。一見、部門として独立しているように見えても、管掌役員が生産などの役員を兼務しているなど、独立性が確保しきれていないケースが多い。本来は、既に経営アジェンダとして調達の重要度が高まっていることから、独立した一組織として立てられるのが1つの将来像といえる。

②のタイプは、特に製造業においては最も一般的なスタイルだ。まず原材料・部品といった生産財の供給や原価管理に力点が置かれた組織形態である。生産サイドとの一体性が強くコミュニケーションがとりやすい一方、生産財以外、例えば間接材などは守備範囲から外れることが多く、また生産側の〝下請け〟になりがちで格が上がりにくいというデメリットがある。加えて、生産側が事業ラインに沿って分かれているようなケースで、そ

のひもづきの調達部門も分散しかねないという組織上のリスクがある。
③は、調達組織の発足の目的が支出管理の適正化に寄っている場合などに採られるスタイルだ。直近では製薬業界や一部の金融機関においてしばしば見られる。CFOの傘下に置かれることから、調達コスト削減や調達リスクの管理などは進めやすい。また支出の全体像が把握しやすいため管理が漏れがちな間接材もカバーしやすい傾向がある。
一方で、②の対極となるため、生産財市場におけるコミュニケーションの機動性、調達を通じた外部のイノベーションの取り込みや生産・開発部門などのバリューチェーンへのフィードバックがしにくいというデメリットがある。

ただ、いずれのタイプにおいても、全社を横断的に管理する組織としての力に強弱はあれど、CPOがシニアマネジメントの1人として経営陣に組み込まれない限り、それが社員から見て経営アジェンダとして受け止められないことを、経営側には認識していただきたい。

## 人材の育成を加速させる

日本企業においては、前述のような背景から、専門性の高い調達人材は社内に育っていないケースがほとんどである。首尾よく社外から採用できればよいが、そもそも労働市場に調達人材が出現する可能性はきわめて低く、ほぼすべてのケースで社内の人材を育成することとなる。また、調達を専門とした外部研修も、残念ながら日本では発展していない。人材育成には一定の期間を要するため、この取り組みに着手する際には、早々に手を付け、当人に積極的に経験を積ませる必要がある。

調達人材のスキル要件としては、分析力と調整力が挙げられる。もちろん、社内の各部門とのコミュニケーションが発生することから、社内ローテーションの場合は出自の部門の業務知識や同部門との人脈も重宝される。

翻って分析力についていては、供給市場の動向や各サプライヤーの状況、自社とのパワーバランスなど、加えてＥＳＧ動向や技術トレンドなどについても分析を行い、担当カテゴリーの調達戦略を立案する必要がある。

調整力についていては、サプライヤーとの交渉のみならず、社内の購買要求部門はもちろん、コスト管理面で予算管理部門、調達システム面でＩＴ部門、さらにはＥＳＧ推進部門などとの調整も求められる。ただ、このような能力や知識をフルセットで持っている人材はまれであるため、その見込みのある人材を見つけて調達部門内で育成していくのが常道となろう。

ＢＣＧが支援するプロジェクトでは、人材育成専門の検討グループを立ち上げて、スキルセット（部員共通／職位別にどのようなスキルが調達部門に必要なのか）とキャリアパス（どのようなパスを経て職位を上がっていくべきか）を整理し、現在の調達部員の強み・弱みの評価や不足するケイパビリティの分析を行う。その不足を埋めるために、外部研修を活用したり、社内の育成パスを設計したりするなど具体的な施策を策定している。

さらに、先進企業ではスキルセットや調達カテゴリー知識を50～100項目程度に細かく分解してKPIを設定したり、社内でのバイヤー認定制度を制定したりするケースもある。リソース・ケイパビリティの課題は、人材不足など現場の課題を解決しながら次段階への布石を打つ必要があるため、人事部門を巻き込んだ取り組みが必須である。

## 人事ローテーションやキャリアパスにも組み込み、エース人材を回す

古今東西を問わず企業においては、部門の利益、ひいては部門長自らの評価のために、優秀な人材を手元に置きたがる傾向が強い。しかし、それでは前述のような調達人材が社内で見いだせず、調達部門が育たない。マネジメントには、転換点に立つ調達機能の重要性を改めて認識したうえで、短期的目線でなく中長期目線で調達部門も配属先とした人材ローテーションを企図いただきたい。

なお、人事ローテーションには、優秀な人材確保以外に、2つの目的がある。1つは、社内でのプロモーションもしくは部門間連携の一環としての役割、もう1つはサプライヤーとの癒着の排除である。

定期的に人材がローテーションされれば、3章でふれたような社内人脈の課題は自然に

解消に向かう。人材ローテーションがないと部門横断での取り組みが進みにくく、人材ローテーションが進むカテゴリーにおいては改革が促進される傾向がある。例えばR＆D部門からの人材ローテーションによりR＆Dカテゴリーの調達戦略が進化する、といった具合だ。

また、サプライヤーとの癒着の排除も忘れてはならない。当然、同じ部門、チームに長くいることで専門性が蓄積できるという側面はあるが、新興国への進出などを経て痛い目を見た先進企業においては、バイヤーは調達部門内の配置替えを含め、必ず4～5年以内の周期でローテーションが行われている。また、定期ローテーションが行われる前提で、引継ぎや組織知化などの仕組みが織り込まれている。

## 国内製薬業界で進展する調達の経営アジェンダ化

調達の経営アジェンダ化の先進事例として、国内製薬業界を挙げたい。国内製薬業界では、2000年代前半までは企業規模にかかわらず、ほぼすべての製薬会社が調達領域においては取り組みが立ち遅れており、コスト高な状況となっていた。それは、製薬という相対的に収益性が高い業態、研究開発側に力点が置かれる業態において、経営陣にとって調達へのマインドシェアが低かったためといえる。

それが、国内の医療費・薬価政策の転換やグローバルメガファーマの出現、主力製品の特許切れなど、各種の経営環境の変化により、２０００年代後半からまず国内最大手クラスが急激にグローバルレベルでの競争を強いられ、他業界のベストプラクティスを追う形で調達最適化の活動に着手した。

その後、２０１０年代後半から２０２０年代にかけては中堅クラスに加えて、スペシャリティファーマといわれる疾患領域特化型の製薬会社も一斉に調達最適化活動に取り組みはじめた。また国内最大手クラスにおいても、グローバル開発競争の激化に伴い、そのR&D投資原資の確保に向けて、調達強化の対象費目・品目を拡大するとともに、コントロール機能のさらなる高度化を展開してきた。

結果、国内の製薬業界全体として、調達の経営アジェンダ化が急激に進んでいる。他業界においても、外部環境変化などを契機にビジネスモデルに構造的な変革が要求され、そこで調達の注目度が俄然上がる例はこれまでもしばしば見られる。

## 実行に向けた地ならし②：クイックヒットによる改革機運の醸成

本取り組みを一度でも検討された方なら骨身に染みているかと思うが、調達部門が格を上げていくには、やはり早期に成果を創出して社内にアピールし、一気に改革機運を高めることが必須のステップといえる。

本改革は、調達部門がＣＰＯを中心に経営上重要、かつ必要不可欠な部門に育つまで、ひいては全社員の行動様式として根付くようになるまで、年単位での活動を要する。そのためには継続的に成果を出していくことが必要条件であり、また最初のステップとしてどれだけ早期に（できれば目立つ）クイックヒットを創出できるかでその後の改革の勢いが左右される。

そして、調達部門としては、クイックヒットで上げた成果を存分に社内外にアピールし、信頼に値する、という認知を積み上げていくことが成功のポイントとなる。

## 戦略的な注力領域選定とクイックヒット創出

調達財は直接材と間接材に大別できるが、日本企業のコスト関連の取り組みは、コスト全体への影響が大きい原価改善が中心となることが多い。直接材については、専任の担当者が配置され、専門知識をもとに価格低減を継続的に実施されてきた。意外に見落とされがちなのが間接材だ。直接材の調達で業界のリーディングカンパニーとされる企業でさえ、間接材のコスト対策は後手に回ってきた。それだけに、間接材のコスト適正化は多くの企業で効果が早く表れるクイックヒットの候補として選ばれることが多い。

どの領域でクイックヒットを出していくか。その戦略的な選定がポイントとなる。その

図表 4-4
**クイックヒットに向けた注力領域選定のマトリクス（間接材）**

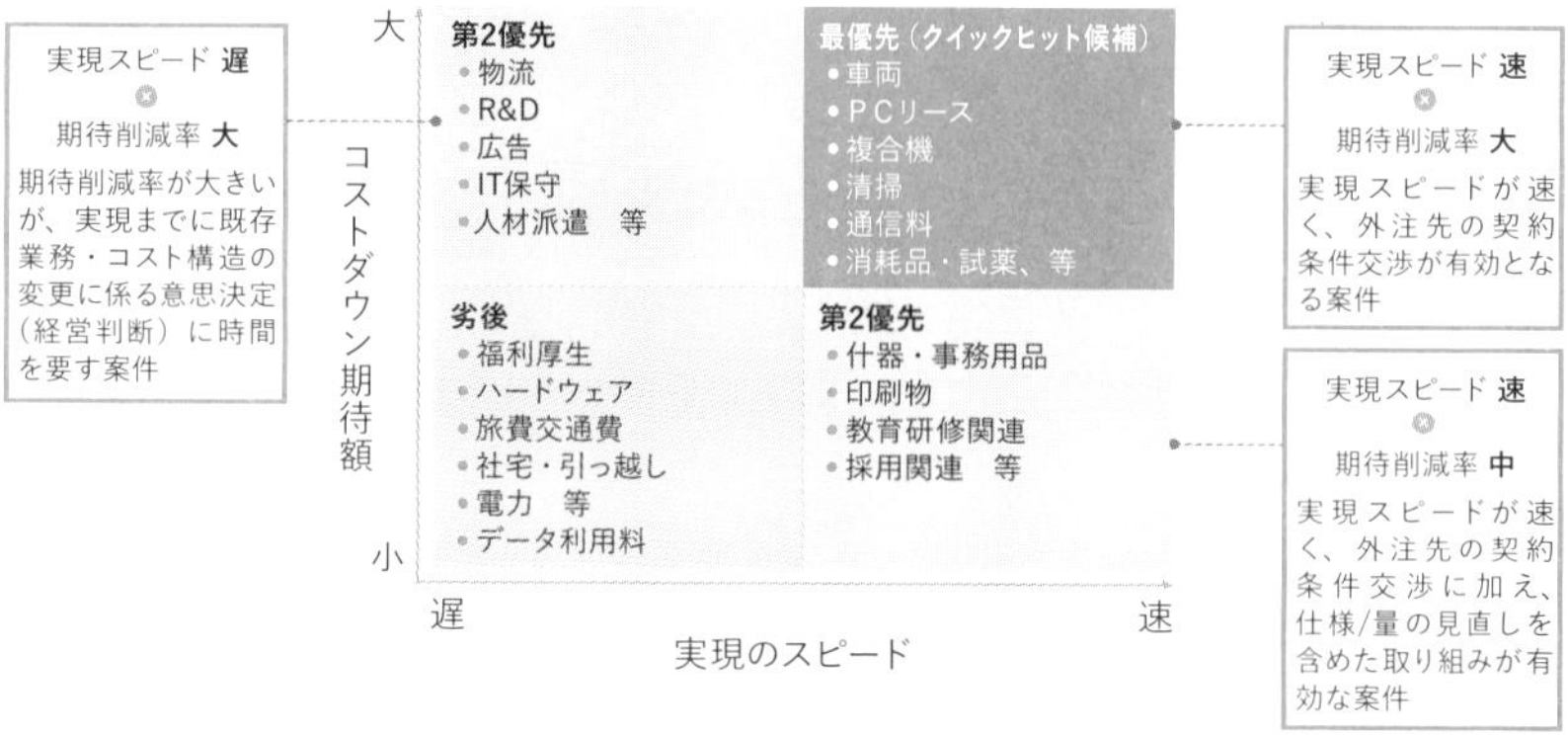


出所：ボストン コンサルティング グループ

際、第1段階として支出の全体構造を棚卸ししたうえで、想定される効果と成果創出までのスピードの2軸で見て、効果が大きく早期に成果が期待できるものを選定し、優先的に取り組むことを勧める（図表4－4）。

間接材というと、消耗品や副資材、事務用品など狭い範囲の品目をイメージされる方も多いが、実際には、図表4－4にあげられているように設備保全、物流、広告宣伝、IT、清掃費などと広範にわたり、役務サービスも多い。個々の金額が少額なこともあって、各部門がさまざまな調達先からバラバラに購入するため、直接材に比して主管部門がはっきりとしないケースや、管理が直接材ほど行き届いておらず、専門性の高い調達部門や担当者が充てられていないことが多い。

しかし、実は間接材は人件費を含めた総コストの2～3割を占める大きなコストであることが少なくない。各部門による分散調達をやめて、全社で集約すれば、調達先を絞り込んで価格交渉力を強化したり、仕様を最適化して無駄を省いたりすることが可能だ。実際に、売上高1000億円規模の企業で、間接材の調達を集約した結果、10億円を超えるコスト削減を実現した事例もある。

また、間接材は固定費であることも多く、一度取り組むと削減効果が継続的に期待できるため、インパクトが大きいという特徴もある。

## 事前に効果算定の仕方とKPIを定めておく

調達部門については「成果が測りにくい」という悩み相談をクライアントから受けることがよくある。その背景には、市場や他部門など調達部門だけではコントロールできない変動要素が多いという事情がある。

だが、調達変革への取り組みにおいては、社内外から正当に評価を受けるために、また活動の進捗度合いを管理し継続的に活動機運を醸成していくために、わかりやすくフェアな形で効果を可視化し、社内外に伝えていく必要がある。成果の達成には、調達部門以外の協力が必要であり、それを得るためには経営層・他部門にとっても利益となり、協力す

図表 4-5

## KPI の例：調達コスト削減の KPI 算出パターン

| 分類 | 算出パターン | 計算式 |
|---|---|---|
| 単価方式 | 新旧単価比較 | ❶［単価（新）×利用量（新）］－［単価（旧）×利用量（旧）］ |
| | 新旧単価比較（利用量変動の影響除外） | ❷単価（新－旧）×利用量（新） |
| 都度見積方式 | 過去実績との比較 | ❸実績（該当年度実績）－基準値（基準年度の実績） |
| | 過去実績との比較（仕様変動を補正） | ❹実績（該当年度実績）－基準値（仕様を補正した基準年度の実績1） |
| | 過去実績との比較（市況変動を補正） | ❺実績（該当年度実績）－基準値（市況を補正した基準年度の実績2） |
| | 当該年度の取り組み前後比較 | ❻実績（最終交渉額）－基準値（一次見積額） |
| 削減率設定方式 | 当該年度の取り組み前後比較 | ❼実績（該当年度実績）－実績（該当年度実績）÷（1－設定削減率） |
| 調達品目ベース | 過去実績との比較 | ❽実績（対象カテゴリの該当年度実績）－基準値（対象カテゴリの基準年度の実績） |
| | 過去実績との比較（数量変動の影響除外） | ❾実績（対象カテゴリの該当年度実績）－基準値（対象カテゴリの数量変動を補正した基準年度の実績3） |
| | 予算との比較 | ❿実績（対象カテゴリの該当年度実績）－予算（対象カテゴリの予算額） |
| 勘定科目ベース | 過去実績との比較 | ⓫勘定科目ベースの対前年実績（コスト削減効果） |
| | 予算との比較 | ⓬勘定科目ベースの予算に対する実績差異（P/L） |

出所：ボストン コンサルティング グループ

る価値を感じられる定量指標を設定しなければならないためだ。

なお、計測対象をわかりやすい調達コストの削減効果のみにとどめないことも重要だ。業務効率化の効果、品質安定化やリスク低減の効果、$CO_2$削減などのESG関連の効果等、目的と重要度に合わせたKPIの選定と設定が求められる。例えば、直接材の調達変革であれば直接材費比率がKPIの一例である。

調達部門は、原材料の調達価格を低減するだけでなく、調達価格の上昇を見越した販売価格の設定を提案したり、研究開発段階の原価計算を通して調達価格とその変動要素を織り込んだ原価設計を提言したりできる可能性がある。

また、公正性がポイントとなるため、事後的に取ってつけたようにＫＰＩを設定することは避ける。可能な限り事前に設定し、関連部門およびマネジメントと合意しておく必要がある。ＢＣＧの経験則では、調達コストの削減効果だけでも、調達カテゴリーの特性に応じて厳密には10～12パターンの計算方法がある。実際には３～５パターン程度に収斂させるケースもあるが、それらを調達カテゴリーごとにひもづけていくには一定の準備期間を要するため、相応のリードタイムを確保しておくことが肝要である（図表４－５）。

## 予算策定・統制に組み込む

調達コスト削減で成果が出た場合、それを予算に組み込むことが重要になる。ある費目（例えば、マーケティング費）のコストを何らかの努力によって下げたとしよう。よく起こるのは、浮いた分、余った予算を別のことに費やし、予算を消化してしまうという現象だ。結果、コスト削減の努力がＰ／Ｌに反映されず、経営としては成果が見えなくなってしまう。

これを避けるため、①そもそも部署ごとだけでなく費目ごとの予算を策定する、②次年度予算策定の際にコスト削減の成果を反映した形とする、③予算策定の際に単価×ボリュームの分解ができるようにしておき、期中の増減について原因分析ができるようにする——などの打ち手がある。

①は、大きな費目については予算が組まれていても、間接材系（例えば、清掃・警備、印刷、消耗品など）は、費目ごとの全社トータルでの予算が組まれていないケースが多い。

ここは、調達部門だけで動かせる話ではないので、経営のサポートのもと、財務経理部門の協力が必要となる。

**成果はタイムリーに社内にアピール——コミュニケーション手段はさまざま**

いよいよ実際に成果が出た、ここで欠かせないのが社内外へのPR活動である。調達部門内で、単に自己満足的に効果算定を行っているだけでは、調達部門の格上げにつながらない。また、仕事の面白さが伝わらない限り、ローテーション制度があっても良い人材も集まらないうえ、配属されたメンバーのモチベーションも上がらない。結果、成果につながらず……と悪循環に陥るリスクすらある。

日本人はここでも控え目な傾向があるが、勇気を持って社内にアピールいただきたい。BCGでは多くの企業を支援してきたが、この社内アピールにより風向きが如実に変わることを体感しているため、強く推奨する。また、その際マネジメント側も、調達部門もしくはサプライチェーン部門以外のマネジメントを含め、調達部門におけるこれらの取り組みを存分に認め、また社内において十二分に褒賞することで彼らの活動に弾みがつく。

マネジメントからしても、大きな投資を要せず、社内においてコスト削減や他の関連活動の活性化により収益に結びつくことから、ぜひ意識してもらいたい。

なお、社内へのコミュニケーションには、意外に多様な手段がある。昔ながらの社内報もあれば、イントラネットや社内のメールマガジンに掲載するケース、社長やトップマネジメントからの全社メールに特記するケース、それも感謝メッセージのビデオ付きメールを発信した例もあった。各種表彰や感謝状制度を設けたり、もしくは既存の表彰制度に織り込む形でその表彰を通じて社内にアピールしていくケース、また、当然のことながらボーナスなどに直接反映するケースもある。ぜひ工夫していただきたい。

このような社内コミュニケーションは一定の工数と準備期間を要するため、計画段階でここまでを一連の取り組みとして織り込んでおかなければならない。

## 調達改革の成功シナリオ

私たちがこれまで実際に支援し、調達部門の改革、強化に成功した複数社の例から、典型的な日本企業で成功を収めた要素を抽出した改革シナリオを紹介したい。仮にA社の例とする。

従来A社では、調達部門は傍流部門と位置づけられ、契約手続き・検収業務といったトランザクション業務の対応に忙殺されていた。経営層からはコスト適正化や安定調達への貢献が見えていなかった一方、昨今のコンプライアンス強化に関連した手続きの増加に伴い、必要に迫られて人数が増えていた。私たちにコスト適正化プロジェクトの依頼が来た時点での調達部門の評価は「人員だけが膨らんでいくお荷物部門」というものであった。

そのような中、プロジェクトが開始され、調達部門や関連各部へのヒアリング、データ分析を通じて現状診断を行った結果、興味深い事実が見えてきた。もちろん、調達部門にも改善の余地は大いにあった。しかし同等かそれ以上に、経営層や他部門の振る舞いが調達部門の機能発揮を阻害していたのだ。

人事面では、調達部門のトップに定年退職間際の「上がり」の人材を配置することが通例となっていた。部門トップの方針は、大きな成果を上げるよりも、現状から変化することによるリスクをひたすら回避すること。その結果、コスト適正化・安定調達のさらなる加速やサステナビリティ対応など、新たに検討が必要な取り組みについては完全に後手に回っていた。また、実は毎年地道に十億円単位のコスト適正化を実施してはいたのだが、経営層へ成果をアピールできていなかった。

財務部門との連携にも課題があった。本来、財務部門と調達部門は一体となって予算策定や期中のコスト削減効果の実現・管理を進めていくべきなのだが、両者がまったく連携できていなかったのだ。調達部門には予算情報やその基礎となるコストデータ、各部門のコスト削減目標が伝達されておらず、来た案件を優先順位が不明な中で処理するしかない状況となっていた。

加えて、発注部門からもやはり調達部門は低く見られている向きがあり、部門間の関係も最悪に近いものだった。契約情報が直前になるまで知らされず、そのときにはサプライヤーも仕様も指定されており、そのうえ短期間での価格交渉を要求されていた。そのような状況でコスト削減を行うのは非常に困難である。一部部門では調達部門を通さない調達が横行しており、そもそも購買プロセス自体に関与できていないありさまであった。こうした環境下では、調達部門のモチベーションが上がるはずもなく、調達部員はトランザクション業務をただこなし続ける日々を送っていた。

このようなパターンは比較的高収益の企業が多い業界でよく見られる。そもそもの利益率が高いため、業績が好調な場合は多少コスト管理が甘くても収益を生み出せてしまうからだ。

ただ、ひとたび逆風が吹くとこういった企業は非常に脆く、A社も例外ではなかった。大幅な収益改善を必達目標としていたA社に、私たちは次のように提言した。「調達部門の位置づけ向上と体制の強化は必須である」。その後A社は次のような施策を実施し、調達部門の機能は劇的に改善した。

まず人事面から手を付け、調達部門のトップに本社のエース人材を据えた。その人物には調達部門改革を最重要ミッションとして課し、達成に向けて社長をはじめとする経営層が惜しみなく支援することを約束した。その人物は着任早々、私たちとともに調達部門の抜本的改革に奔走した。

まず、財務部門と二人三脚で活動すべく、連携方針を根本的に見直した。具体的には、財務部門が保有しているコストデータを一通り取得し、財務部門との協議を経てコスト適正化の優先対象を選定した。あわせて、財務部門と月次の定期ミーティングを設定し、コスト適正化の進捗のＰＤＣＡを回せる体制を整えた。

並行して、経営層に向けて調達部門の成果を報告する場を整えた。具体的には、定期的に実施される取締役会において、主要ＫＰＩの１つに調達活動により達成するコスト適正化額を組み込んだのだ。こうすることで、経営層に対して調達部門がコスト適正化に貢献しているという認識を持たせることに成功した。

その他の関連部門に対しても部門トップ会談を通じて、重要案件の事前連携と、調達部門との綿密な連携によるコスト削減の実現について協力を取り付けた。このプロジェクトの背景である「全社の収益改善」という要請も後押しとなった。各部門は経営層から大幅なコスト削減を求められており、実現に頭を悩ませていたのだ。経営層・他部門との連携の見直しに加え、調達部門内部での改革にも並行して取り組んだ。

具体的には、トランザクション業務対応の範囲を最小化し、付加価値の大きいサプライヤー選定・交渉業務に稼働の大半を割り振ることを決定。部員の評価も処理件数ベースから、コスト削減額や安定調達、ESG対応への貢献ベースに見直した。

あわせて、不足していた部員のケイパビリティを補完するため、BCGと連携して調達アカデミーを実施し、社内外のベストプラクティスを実践形式で学習した。

以上の施策を実施したことで、プロジェクト中にA社の調達部門は期待以上の成果を上げた。そして私たちの支援が一段落した後も、経営会議への定期的な成果報告、他部門との密な連携、部内でのノウハウ共有会の実施などにより、調達部門は社内でも一目置かれる存在となっている。

## 本格展開①：デジタル活用による効率化・高付加価値化

地ならしにめどがついたら、本格展開にコマを進めよう。本格展開では、デジタルの活用が大きな施策の1つとなるだろう。

デジタル活用は、価値創造型（攻め）とリーン型（守り）に分けられる（図表4－6）。価値創造型（攻め）とは、調達機能高度化や顧客（もしくは対サプライヤー）サービスレベルの向上、新たな付加価値の提供を主眼としたものである。デジタル技術を使いこなす

図表 4-6
## デジタル活用の 2 つの型

価値創造型（攻め）

調達機能高度化・サービスレベルの向上・新たな付加価値の提供

- 交渉戦略立案におけるAIの活用
- 社内取引データと外部の市場環境データの統合分析による戦略的なサプライヤーリレーションシップマネジメント（SRM）、等

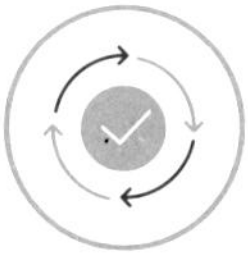

リーン型（守り）

業務効率化/標準化・コンプライアンスの強化・リスクの回避

- RPAの導入
- AI-OCRによる紙ベースの契約書・請求書のペーパーレス化、等

出所：ボストン コンサルティング グループ

ことで人が創造的・戦略的思考に集中できるようにするもの、例えば交渉戦略立案における生成ＡＩの活用や、社内の取引データと外部の市場環境データの統合分析による戦略的なサプライヤーリレーションシップマネジメント（ＳＲＭ）などがそれにあたる。

リーン型（守り）とは、業務効率化や標準化、コンプライアンス強化やリスク回避を主眼としたものであり、典型的なものとしてはＲＰＡ（ロボティック・プロセスオートメーション）の導入やＡＩ－ＯＣＲによる紙ベースの契約書・請求書のペーパーレス化などがある。

この２つのアプローチを念頭に置いたうえで、どのタイミングでどういったカードを切っていくかを戦略的に考えなければならない。

## まず効率化によりリソースを捻出

初手として取り組むべきはリーン型のデジタル活用による業務効率化や標準化だ。日本の企業においては、残念ながら部長・課長などのリーダー層はプレイングマネジャーと位置づけられ、本来求められる企画・戦略策定などの高付加価値化に割ける時間が少ない。リーダー層でさえ、業務時間のうち3～4割はメールの処理などの事務作業に追われ、高付加価値化に割くリソースが圧迫されていたケースもある。まずはチームをオペレーショナルな業務から解放する必要がある。ディスカッションを通じた企画・戦略策定業務に重きを置き、メール処理は業務時間の1割以下に抑えることが望ましい。また、担当職層においても同様の事態が生じており、そこが改革を阻む壁となっている。まずはデジタル活用による業務効率化でリソースを捻出し、本丸である高付加価値化へと歩みを進めていく。

## ルール→プロセス→システム・デジタルの順で考える

よく言われることではあるが、システムやデジタルツールは、それらありきで検討していくものではなく、あくまで価値創造（攻め）とリーン（守り）の着想のヒントにとどめる必要がある。システムやデジタルツールの導入が先行してしまっては、改革が目指すありたい姿にたどり着かず、局地的な改善にとどまることがほとんどだ。

元来、システムやデジタルのあり方を規定するのは業務プロセスであり、またその業務プロセスを規定するのは、購買規程や経費規程、ガイドラインなどの一連のルールである。ついては、骨太な改革を進めるにあたって、特にマネジメントとしてはまずルールをどうするか（もしくはその前段階である大方針としてどうありたいか）を深く検討する必要がある。そしてそのルールに基づき、業務プロセスの設計・見直しを緻密に進め、そのうえでその実現手段としてどういったシステム、デジタルツールが適しているのか、自社の間尺に合っているのか、賢く選択していくのが常道である。

なお、ルール↑↓プロセス↑↓システム・デジタルの間には密接な関係性があることから、ありたい姿・やりたいことの実現可能性を見ながら、各検討ステップでそれぞれ調整を図っていく必要があることは申し添えたい。

## AIによる戦略的業務の拡幅

AIが破壊的イノベーションであることは論をまたない。最終的な戦略的思考の部分は人に残るとして、その拡幅にあたり知覚・判断業務上の大きな助けとなる。調達関連では大きく3つの分野において推進力となりうると考える。

1つが、生成AIによるリサーチや拡張的な入力補助による戦略的思考へのアイデア出し、もしくは言語モデルによる文書作成支援（翻訳を含む）を用いて戦略的思考のために

図表 4-2（再掲）

**調達の進化（Procurement 3.0）**

| | 戦略 | 提供価値 | 実現要素 組織 | プロセス | 人材・スキル | 連携 | データ |
|---|---|---|---|---|---|---|---|
| 3.0 | •経営・各部門と連携した全社調達戦略 | •ESG<br>•安定供給<br>•コスト削減 | •部門横断・全社最適 | •トランザクションは自動化、高付加価値業務にシフト | •デジタル活用、協業スキル | •研究開発等の関連部門・サプライヤー等と連携 | •統合データでロングテールもカバー<br>•サプライヤーとのデータ接続<br>•AIの活用 |
| 2.0 | •調達部門のみに限定 | •安定供給<br>•コスト削減 | •調達最適 | | | •一部部門・サプライヤーと連携 | •データはあるが拠点ごとにバラバラ<br>•主要アイテムに絞った分析 |
| 1.0 | •なし/曖昧 | •コスト削減 | •個人技 | •マニュアルベース<br>•「お願い」「力ずく」の価格交渉 | •交渉術<br>•トランザクション業務 | •調達部門のみに閉じた活動 | •データの散逸、紙ベース混在 |

出所：ボストン コンサルティング グループ

脳の容量を空けられるようにすることだ。

次に、交渉戦略のコーチ役としてのAI活用が考えられる。ゲーム理論を用いてロジックを組み、またこれまでの成功案件からの学習により、過去を含めた全バイヤーの知見を集約することができる。そして、AIの提案に基づきバイヤーが選択・意思決定することで、属人化しがちなバイヤーの交渉スキルを補完し底上げすることができる。

3つ目が、社内にある取引データ（実績と予定の両面）と外部の市場環境データ（非定量データ含む）を統合した形でのビッグデータ解析である。ビッグデータや数理モデルを用いることで、これまで人の手・目では気づきえなかった特異点や予測・予兆、価格弾力性分析、不正検知まで分析手法を拡幅し、また人手では回らなかったロングテール取引まで分析範囲を拡幅することができる。

一朝一夕にはそこまでたどり着かないにしても、ＡＩの活用は調達業務の高付加価値化にあたっては常に視野に入れておく必要がある（図表４－２再掲）。

## 本格展開②：コスト、安定調達、ESG観点での徹底的な可視化

調達領域における可視化は、ＱＣＤ適正化とガバナンス構築の出発点といえる。可視化が進まない限り、本質的かつ優先度の高い課題は何か、どのような打ち手が考えられるか、その打ち手が正しく課題解決に届いているのか、その効果はいかほどかが把握できず、適切なマネジメントは困難である。

調達領域で求められる可視化は２つある。全社の調達データベース（スペンドキューブ）とサステナビリティ対応状況の一覧である。いずれも、日本企業が弱みとする、もしくは後発となっているところであり、グローバル企業と伍して戦い、加えて海外法人やＭ＆Ａ先へのガバナンスを機能させていくために、早急に着手する必要がある。また、ＢＣＧの経験によると、この可視化の工程が１つのヤマであり、ここを無事に超えられれば、改革全体の成功確率が大きく上がる。

## 全社の調達データベースの作成：スペンドキューブにより、徹底的な可視化を行う

スペンドキューブとは、「誰が（部門、関連会社など）」「どこから（サプライヤー）」「何を（カテゴリー、品目など）」買っているのかの3軸で構成される、さまざまな分析の基礎となるマスターデータベースである（図表4－7）。

インプットに際し、一元的なデータ源が既に構築されていればよいが、ほぼ100％のケースにおいて、複数のデータ元から引用する必要がある。代表的なものとしては、経理システム上にある支払データ（総勘定元帳など）、購買システム上にある発注データ、そして請求書や見積書などである。

特に3点目については、紙伝票しかなかったり、PDFで取り込まれていたとしても画像のままで項目分解されていなかったりといったデータ化にあたってのハードルがある。なお、請求書や見積書などは単価や数量などの深掘り分析を行う際に活用されるため、逆にいえば深掘りする対象が決まってから収集・取り込みを行う流れでも問題はない。

一方、スペンドキューブは今後の分析の基礎となることから、網羅性が欠かせない。そういった意味では、通常は経理システム上の支払データがスペンドキューブ構築上のベースとなり、必須であるといえる。

いずれも、それらのデータを統合し、整理し（表記ゆれの修正や名寄せなどを含む）、

図表 4-7
**スペンドキューブ**

調達状況の「見える化」として調達額を財サービス別・
調達主管部門別・サプライヤー別に把握

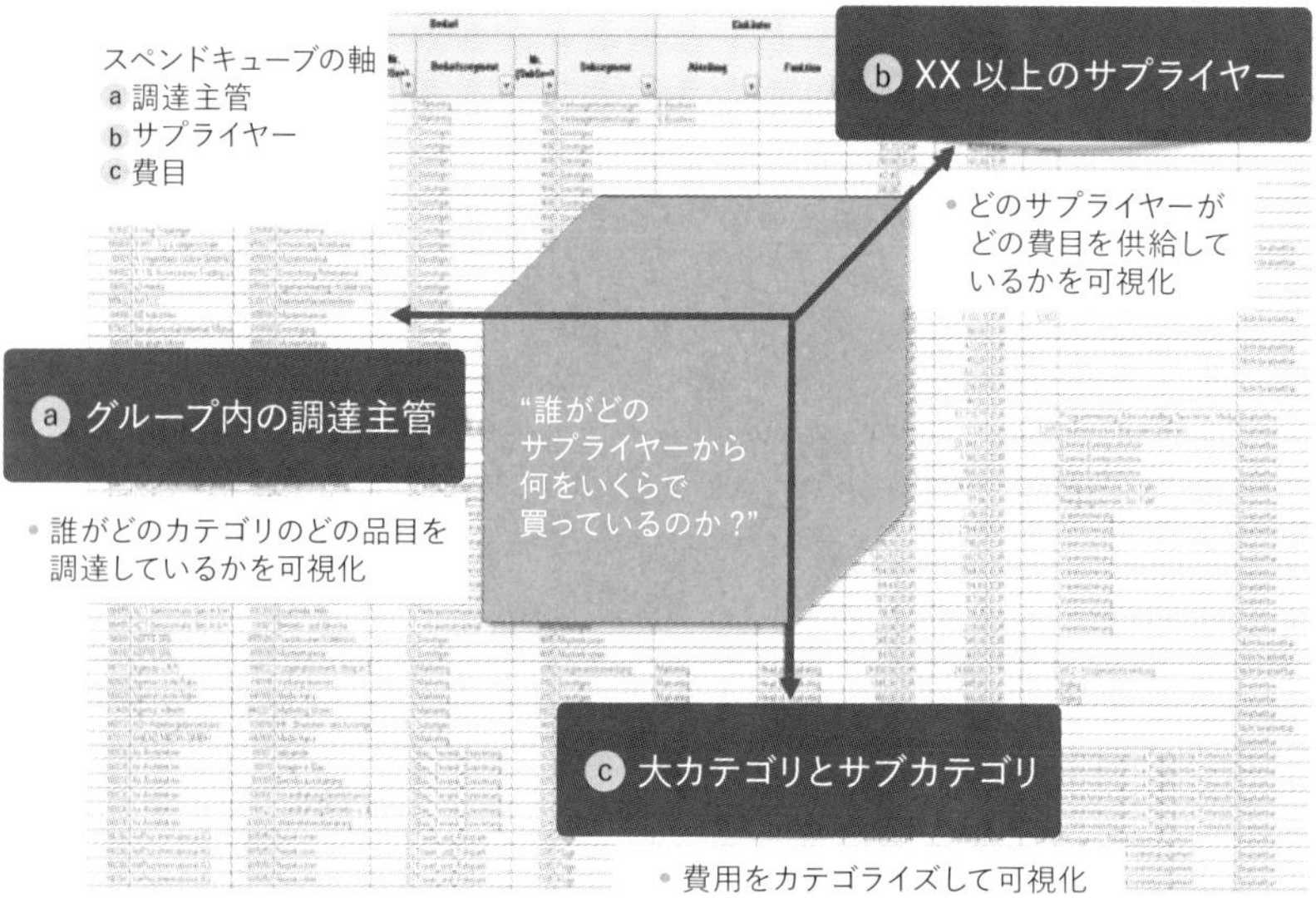
スペンドキューブの軸
a 調達主管
b サプライヤー
c 費目
b XX 以上のサプライヤー
• どのサプライヤーが
どの費目を供給して
いるかを可視化
a グループ内の調達主管
• 誰がどのカテゴリのどの品目を
調達しているかを可視化
"誰がどの
サプライヤーから
何をいくらで
買っているのか？"
c 大カテゴリとサブカテゴリ
• 費用をカテゴライズして可視化

出所：ボストン コンサルティング グループ

分類することを経てマスターデータベースとして完成させる。なお、分類にあたっては、その後のカテゴリー戦略策定の単位となる必要があるため、仮説を持ったうえで分類作業を進めていく必要がある。この際、並行してカテゴリー体系図をまとめておくと、スペンドキューブ分析において有効である。

### サステナビリティ対応状況の一覧化――主要サプライヤーの情報を収集

サステナビリティへの対応状況、それも、調達の文脈では自社だけでなくサプライヤーでの対応状況について、既に一元化・一覧化されているという日本企業はまだかなり少ない。想像に難くないところだが、そもそも必要な情報が多岐にわたり、結果としてその情報源は分散し、もしくはサプライヤー分については積極的に収集しきれていないことがほとんどだろう。

しかしながら、マネジメントとしては既に知らないでは済まされず、少なくとも何らかの事案が発生した際に即座に説明責任が果たせるように、もしくは現状を把握する手立てを持つように、国際社会や投資家、業態によっては製品の取引先から強く要請されている。また、近年では日本国内においても法令化や規制強化の動きもある。ついては、サプライヤーのサステナビリティ対応状況について、優先度や緊急度、サプライヤーの重要度、またリスクが顕在化した時の想定インパクトに基づき、早急に必要な情報を洗い出し、各

図表 4-8
**調達リスクの統合データプラットフォーム**

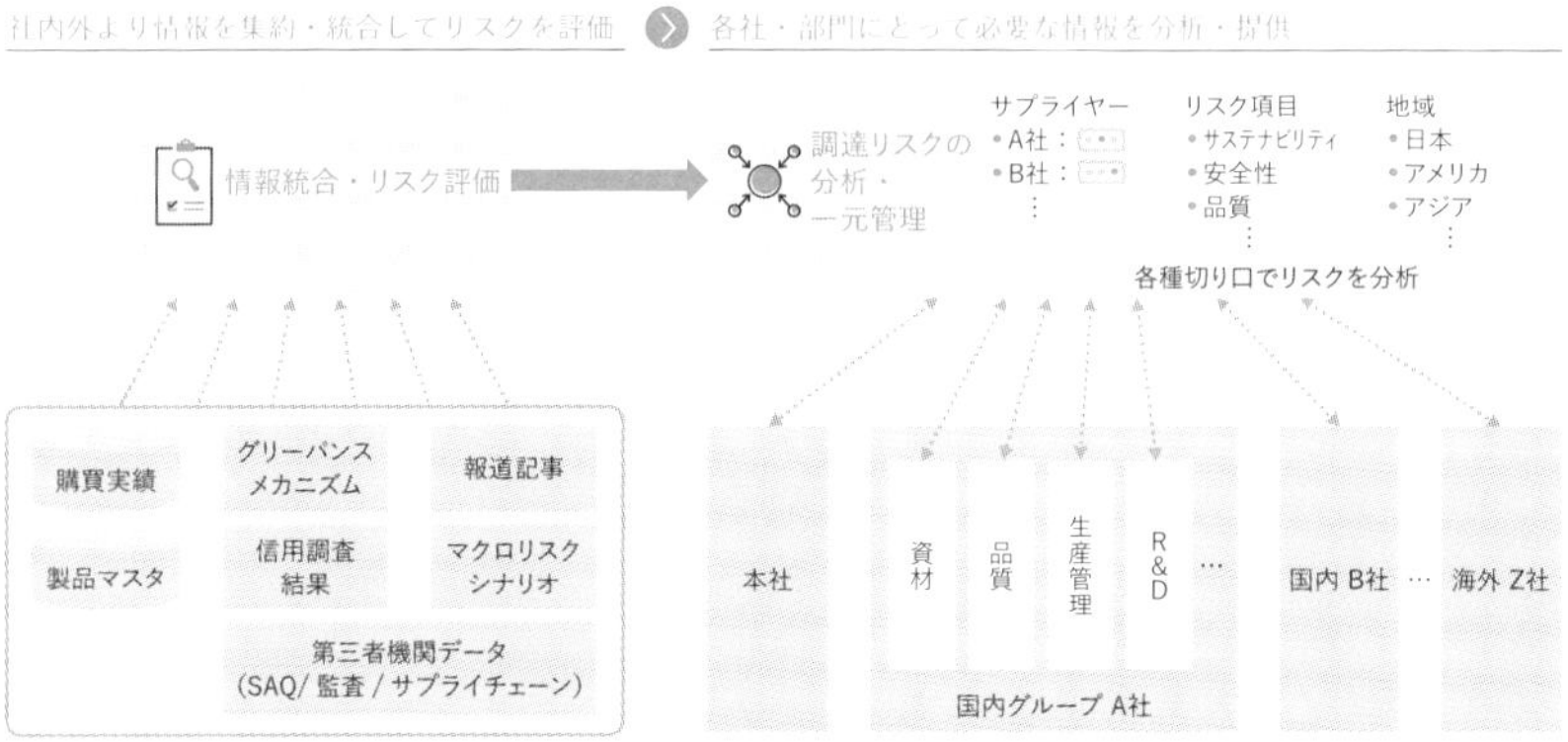


出所：ボストン コンサルティング グループ

所に散在する情報、およびこれから収集するサプライヤー情報の一元化、一覧化が必要である（図表4－8）。

なお、グループ会社を抱える大企業ではグループ会社から先のサプライヤーもカバーする必要があり、可視化にあたっては綿密な計画立案が肝要である。加えて、エクセルなどでの個別管理には限界があるため、可能な限り情報プラットフォームを構築することが推奨される。

なお、収集したサプライヤー情報については、適宜リスク分析に活用のうえ、関係各所にフィードバックを行うことや、また情報自体についても定常的なアップデートが求められる。

## 先進事例に見る可視化の進め方

先進企業においては、可視化の対象はサプライヤーのコストだけではない。安定調達も含めたサプライヤーリスクやサステナビリティ対応状況について、サプライヤー単位で可視化し、現状を定期的にモニタリングし、リスクの検知を徹底させている。サプライヤーに関連する取引情報や公開情報（ネットニュースやＳＮＳなど）をＡＩでリアルタイム解析し、リスク判定からアラート発信、対応タスク化までを自動化している企業もある。

コスト以外のリスクの可視化に際しては、多岐にわたるサプライヤーの情報を収集する負荷の大きさと、そのデータがどれだけ事実を反映しているかが問題となる。情報提供をサプライヤーに求めても断られたり、不確かな情報が提出されたりすることもある。したがって、全サプライヤーの全情報を一度に収集しようと考えるのではなく、優先順位をつけて進めたほうが良い。

まず万が一のリスクが発生した場合の影響度を検討し、注視すべきサプライヤーや費用項目を定義する。サステナビリティ対応を軽視している大手企業や対応するだけの余力のない中小規模のサプライヤーからの調達額が大きい場合は、特に注意しなくてはならない。

例えば、欧州食品メーカーＢ社においては、バターや生乳、糖、パーム油などが重要資材にあたる。こうした資材の流通過程は複層的で、高リスク品目として課題となっている。それらの安定調達リスクやサステナビリティ対応状況の可視化にあたり、外部のサプライチェーン可視化プラットフォームを活用し、1次サプライヤー（ティア1）だけでなく、自社では把握困難な2次（ティア2）・3次（ティア3）のサプライヤーまで掘り下げ、情報をシステマティックに収集している。

その際、ティア1についてはB社から直接プラットフォームへの参画を依頼し、ティア2についてはティア1を介して、ティア3についてはティア2を介してと複層的に依頼をかけている。また、中国など重点地域については、100％出資の現地法人と現地パートナーとの合弁会社の両面を通じて手厚くフォローしている。

そのうえで、2020年までにティア2・3を含むサプライチェーン全体の94％までの可視化にこぎつけ、児童労働などの重篤な人権リスクを排除している。加えて、セデックス（Sedex）などの第三者機関を通じて定期的に監査を行い、サトウキビ農場や製糖工場など高リスクなサプライヤーについては、NPOと連携し現地指導まで行い、末端で雇用される子供の数が減少し続けていることを継続的にモニタリングし、社会的責任のある調達を進めている。

## 本格展開③：サプライヤーとの戦略的な関係性の再構築

国内供給市場は、10年ほど前までの姿から一変している。かつては相当数のサプライヤーの中から、いかに自社にマッチしたサプライヤーを選ぶかが論点であったが、今やあらゆる業界で労働力不足などに起因する供給制約が生じ、ボトルネックとなっている。また、国際供給市場においても、前述したように、パンデミックや国際情勢の不安定化、為替変動などによりインフレが加速し、災害や地政学リスク、特に多くの国が中国を供給基盤としていることにより供給リスクが増大し、これまでのような自由度の高い調達が難しくなってきている。

加えて、サステナビリティへの意識の高まりもあり、付き合うサプライヤーについても、以前より一段上のスクリーニングを経たうえで選ぶ必要性に迫られている。

ついては、CPOを筆頭に経営陣は状況認識をアップデートし、サプライヤーとの関係性を再構築することが求められているのが現状である。

### 適度な距離感と温度感

新しい時代のサプライヤーとの関係性には、距離感と温度感の絶妙なバランスが求められる。サステナビリティの観点から、サプライヤーとは一定の距離感を保ち、その選定と継続取引時において客観的に審査を行う必要がある。また、特にガバナンス観点から、癒着・不正防止のために、一定期間での人事ローテーションが社内制度として義務化されている企業もある。取引内容については、継続的に内部監査が行われているのは言うまでもない。

一方で、自社の製品やサービスの供給にあたってコアとなる領域に深く関連するサプライヤーとは、自社の業務プロセスに巻き込む形の「熱量の大きい」関係性構築が求められる。またその際に、特に後述するような優良サプライヤーとのタッグが求められるが、この時カギとなるのはトップからのメッセージである。サプライヤー側の立場に立てば自明の理だが、トップの顔が見えない相手先と深いリレーションなど築きようがない。

例えば、毎年グローバルの上位サプライヤーを集めて役員から戦略・コスト削減目標、共存共栄の精神などの説明を行ったうえで、次年度に向けた条件交渉を行っている先進企業もある。そういった、トップ自らがＷｉｎ－Ｗｉｎの関係を築きにいく姿勢が求められる。

## サプライヤーとの競争ではなく共創

コア領域におけるサプライヤーは、製造業における基幹部品・材料（直接材）の仕入先のみにとどまらない。例えば研究開発委託先や基幹物流の3PL委託先、もしくはマーケティング・広告宣伝の委託先、IT分野におけるシステム開発委託先など、業種によっては重要な間接材のサプライヤーも含まれる。

そして、それらのサプライヤーとは、いかに相手を出し抜くかといった競争関係ではなく、いかに相手と協働で付加価値を磨き上げていくかという共創関係の構築がこれからの優位性獲得のポイントとなる。

なお、共創関係を築いていくには、例えば発注見込みや新製品の開発予定・発売予定などを共有することが有効だ。サプライチェーンとして一体的に動けるため、低コスト化や予測精度の向上、迅速化、即時対応性や柔軟性の確保などの効率化が双方で可能となる。また、共同開発でサプライヤーの提案力・開発力を引き出す例も枚挙にいとまがないうえ、特に役務サービス分野においては、インセンティブの設定などにより、サプライヤーによる自発的な品質改善（＋効率化）の取り組みが進み、結果として自社の業務品質の向上につながるケースも多く、参考にすべきである。

## 優良サプライヤーの選定と育成

共創関係を通じて、いずれが優良サプライヤーであるかがおのずと浮かび上がってくるはずだ。

トリレンマの中で勝ち抜いてきたそれらの優良サプライヤーは、今後、自社にとっては宝となる。また、自社のプロセスやサプライチェーンにサプライヤーとの共創関係を取り込んでいく動きが各所で起こることで、優良サプライヤーとそれ以外のサプライヤーの優勝劣敗は際立つ一方となり、ますます優良サプライヤーが貴重な存在となっていく。

そのような中、そういった優良サプライヤーを継続的に自社に向かせ続けるには、トップ同士のリレーション構築に加えて、自社のビジョンや将来像を共有することが有効である。

実際、ある先進日本企業においては、米国でのサプライヤー説明会で、まず自社のビジョンや中長期戦略の方向性を時間を取って役員から説明することで、サプライヤーから共鳴を引き出し、その後の具体的な提案依頼においても温度感を保ったまま、また相互理解を得た状態で進めることができている。

## 本格展開④：トリレンマへの取り組みチームの立ち上げ

本書の最大の論点である（つまり、これからの調達において最大の論点となる）コスト・安定調達・ＥＳＧのトリレンマだが、これまで述べてきたように、解決に向けては部門横断で検討を行い、全社目線の、また外部ステークホルダーも視野に入れたバランスのとれた意思決定が欠かせない。

そのため、既存の組織の枠組みでは対応が難しいことが多い。よって、トリレンマへの取り組みにあたっては当面はプロジェクトチームを組成して運営していくことになるが、その際に重要なのが、経営トップがオーナーとなり推進していくことだ。また、プロジェクトオーナー以外の経営陣にも、メンバーが全社最適の思考に至るべく、部門間調整の負荷を可能な限り低減させるようあらかじめ調整してもらうことに加えて、多面的な議論が進むよう、部門代表としてではなく全社目線の建設的な意見を示してもらうことが肝要だ。

## トリレンマに取り組む部門横断のチームを組成

トリレンマを解決するにあたり、調達部門に加えて、サプライチェーン部門（需給管理、生産計画や品質管理、物流部門なども それにあたるケースが多い）、サステナビリティ推進部門およびリスク管理部門までは最低限関与が必要である。

また、それらに加えて、製品設計にさかのぼって見直しが必要なら開発部門、顧客との調整が必要なら営業部門、為替リスクに対処するなら財務部門、情報管理のインフラが必要ならＩＴ部門、そして間接材なら全社にわたる各要求部門の巻き込み――と、多岐にわたる課題に対して臨機応変な、かつ相当程度幅広い部門横断での取り組みが求められる。

そして、それらの部門からのスタッフと知恵の供与のもとに、全社取り組みとしてのプロジェクトチームを組成し、経営上の最重要課題の解決チームと位置づけて運営することが求められる。

## トレードオフに関する意思決定のため、経営層も参画

トリレンマの課題検討にあたり、トレードオフや部門間の利害調整が発生することは経験上間違いない。ついては、まず先述のプロジェクトチームで論点とトレードオフ、何と何が天秤にかけられているかを、対応関係を含めて明確かつ網羅的に洗い出し、メリットやデメリット、リスクについて可能な限りそのインパクトや確度・タイミングを定量化することが望まれる。

トレードオフが発生するのは、いわゆるQCD（Q：品質、C：コスト、D：納期）の間だけではない。コストであれば、調達コストに加えて業務コストや管理コスト、調達・供給の安定性、また生産活動だけでなく、それにひもづく営業活動や、外部委託をベースとした研究開発活動への影響、環境や人権問題を含めた社会的インパクトや会社としての信用、サプライヤーや地域経済との関係性など、きわめて多岐にわたる。

ついては、本取り組みはプロジェクトチームをハブとして各関係部門を巻き込んだ横断的なものとなるが、最終的な意思決定にあたり、経営陣も広く参画することが求められる。

特に日本企業においては、マネジメントに内部の生え抜きが太宗を占めること、もしく

はその声が大きいことから、その出自の利害に基づく部門代表的な意見が通りがちで、株主はもちろん、外部のステークホルダーの目線を踏まえた議論が成り立ちにくい体制となっている。ここに及んで、本来的なマネジメントの立脚点に立ち返り、どうすれば持続可能かつ収益性の高い事業を維持できるかを冷静かつ客観的に議論・判断し、意思決定を行うことが求められる。

## 先進企業に見る全社横断での体制づくり

調達担当者にとって悩ましいのは、サステナビリティのようなテーマは通常の調達業務の範疇を超えてしまうことである。例えば、人権問題は通常、人事部門もしくは法務部門が扱うテーマであり、それを調達先の選定基準に含めるためには部門間連携が欠かせない。さらに、調達部門の最重要ミッションはコスト削減であるため、時には高コストになっても安定調達を優先させるという意思決定は調達部門単独では行いにくい。サステナビリティに関するガバナンスを経営レベルで方向づけておく必要がある。

図表4－9は、全社戦略の策定と同時にサステナブルガバナンスを設計し、調達活動の指針としている企業の例だ。①の全社戦略の策定時に経営レベルでの議論が必要なトレードオフを洗い出し、情報共有と討議を重ね、財務・非財務両面を統合した戦略を策定する。

図表 4-9
## 全社戦略策定時にあらかじめサステナブルガバナンスを設計

| | ❶ 全社戦略策定 | ❷ 全社調達戦略・活動計画の策定 | ❸ カテゴリー戦略策定 | ❹ 基盤整備と並行した実行 | ❺ 報告と改善 |
|---|---|---|---|---|---|
| 取り組み概要 | • マテリアリティ検討/定義<br>• 関連する社内外の環境データ/情報の整理<br>• 財務/非財務両面を統合した戦略を策定 | • 全社戦略を前提に調達戦略・活動計画を策定<br>– 調達目標/ミッション<br>– 上記実現のための活動計画（KPI含）他 | • 費用毎の特性を踏まえカテゴリー戦略を策定<br>– コスト最適化<br>– 業務効率化<br>– リスク最小化<br>– サステナブルアクション | • 戦略を基に実行<br>– 全社調達戦略<br>– ケイパビリティ・組織の拡充<br>– 業務基盤整備など<br>– カテゴリー戦略の実行 | • 活動結果を基に改善点を抽出し改革案を検討<br>• ステークホルダー向け報告 |
| 推進上の留意点 | サステナブルガバナンス設計<br>**事業/部門戦略策定時にも経営レベルで協議が必要なトレードオフ論点が生じる**<br>⌄<br>**役割を明確にした上で経営関与の推進体制を設計** | 関連部門との連携<br>トレードオフある中でSをどの程度求めるか協議連携<br>業務基盤とロードマップ<br>QCDとSの情報を統合評価可能な基盤設計 | 関連部門との連携<br>同左<br>実務ガイドへの落とし込み<br>各テーマが複層した議論や関連知見が必要であり、各担当が迷わぬガイドを準備 | 関連部門との連携<br>同左<br>顧客要請を取込む仕組み<br>取組進化過程にあり、顧客からS要件充足を求められる（必要に応じて戦略見直し） | 関連部門との連携<br>同左 |
| 主要部門 | • 経営陣と経企中心<br>• 情報共有と討議を重ねる同志となる社内部門<br>• 社外専門家（特に非財務領域） | • 本社調達統括部門中心<br>• 経営陣と経企<br>• リスク部門、IT部門<br>• テーマ毎に人事/生産など | • 本社調達統括部門中心<br>• カテゴリー×テーマ毎に人事、生産など | • 本社調達統括部門中心<br>• IT部門<br>• カテゴリー×テーマ毎に人事、生産など | • 本社調達統括部門中心<br>• 経営陣と経企<br>• IR部門など |

出所：ボストン コンサルティング グループ

その全社戦略を前提に、調達戦略、そしてカテゴリーごとの戦略を策定、実行していく。

　このように、トリレンマに関わる問題は部門横断で検討し、バランスをとった意思決定をすることが欠かせない。したがって、課題ごとに解決に必要な意思決定者や検討に参加すべきステークホルダーをあらかじめ特定しておくことがポイントになる。そのうえで、全社横断でのプロジェクトチームを組成し、部門

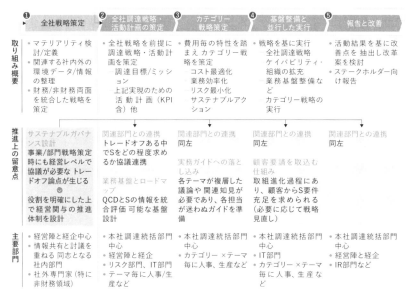

間の意見対立や検討不足によるリスクを最小化させる必要がある。

## 応用編①：グローバルのガバナンス強化と機能配置

ここからは、本格展開のための施策の定着度を確認しつつ、進めていきたい応用編を2点、ご紹介したい。まずはグローバルでのガバナンス強化だ。

古くて新しい概念であるガバナンスであるが、物理的に目が行き届きにくい環境やベースとなる国民性や文化、法制度が異なるケースにおいては、特に難易度が高い経営課題となる。製造業を中心に早くから海外進出を果たしてきた日本企業にとっては、しばしば経営陣の悩みの種となってきたテーマである。

日本には和洋折衷の思想や古代・中世から和漢の境をまたいできた歴史がある。日本企業は海外企業と異なり、良く言えば相手に合わせたり取り込んだりと柔軟に、悪く言えば性善説を前提とした現地へ任せるスタイルをとってきたケースがほとんどである。一方で、これまで述べてきたような取り組みを全社的にスピード感をもって進めていくにあたっては、一定以上の可視化や一元化が必須条件である。

近年ニュースに上るような品質不正や腐敗、環境汚染や人権抵触リスクなど、社会的な要求水準が高まってきていることから、即座に企業存続に関わるリスクが内在しているケースもあり、それに合わせてスピーディに管理基盤・体制を整えていく必要がある。

そのような中、特に可視化においてはデジタルの力を活用しながら、一方でアナログ側の調達においてはどのように構えるべきか、本セクションを参考にしていただきたい。

### 3層のガバナンス構築（グローバル・リージョナル・ローカル）

調達においては「集約」が、コスト面（調達コスト、業務コスト）だけでなく、ガバナンス、コンプライアンス面においてもメリットを生むカギとなる。一方で、対サプライヤーおよび対社内の両面で、物理的、および情報収集・コミュニケーション上の制約から、すべてを本社などに集約するのは必ずしも効率的ではない。起点となるアイテムベースで所管を定め、グローバル・リージョナル・ローカルの3層で大別し管理していくのが定石だ。

最大公約数にあたるものから順次集中化していくアプローチをとるケースが多いだろう。うち、原料系はグローバル供給市場が発達しているため、グローバル調達アイテムに振られるケースが多い。また、半導体や一部の機械・電子部品などもグローバル調達となる。樹脂成型品やフィルムや紙器など、重量比で付加価値の相対的に低い財については、物流費を鑑み供給市場側がリージョナルもしくはローカルとなっているケースが多く、調達する側もそれに合わせた管理体制が求められる。

一方で、間接材領域においては、グローバル対応可能なサプライヤーが少ないことから、実際にはグローバル調達アイテムは多くはなく、グローバル市場のあるＩＴ領域や国際物流、旅費、損害保険、一部広告などを除いて、リージョナル調達かローカル調達となる財がほとんどである。

なお、物理的制約を飛び越える手段の1つとしてデータやシステムがある。調達領域においては、少なくとも直接材サプライヤーや外部委託先の管理は、グローバル共通でシステム化されているケースが多い。一方で、間接材については別系統のシステムとなっていたり、各子会社単位のシステムとなっていたりするか、そもそも十分にシステム化されておらず、支払データとして会計システムに載せられている程度となっているケースも多い。しかし、ガバナンスとコスト水準を全社一貫でモニタリングするには、最終的には直接材と共通のプラットフォームにデータを集約させていく必要がある。

具体的には、後述の先進企業Ｃ社の例を参照していただきたい。

### 地域特性を踏まえる

オペレーションの設計にあたっては、法令対応や商習慣のみならず、地政学や社会情勢、そしてサプライヤーの属する供給市場の状況などの特性を踏まえる必要がある。

特にいくつかの途上国など、資金の取り扱いで不正リスクを抱える現地法人を持っている企業においては、オペレーションの効率性や機動性よりもコンプライアンスによる企業価値の維持を優先するケースも見受けられる。

具体的には、例えばアジアや中南米に関しては、相当に議論とトライ&エラーを重ねたうえで、現地法人や現地駐在事務所におけるサプライヤーとの直接取引を一切禁止し、すべて日本側でオペレーションを行うこととし、結果、日本本社にて調達部門に数百名の集中オペレーション体制を敷いている企業もある。

当然オペレーションコストも高く、また現地での機動的な調達稼働が難しいなど非効率性はあるが、それでもコンプライアンスを優先した結果である、これは顕著な例としても、現地の地域特性に合わせて、ケースバイケースでガバナンス体制を設計する必要がある。

## 先進事例に見るグローバル調達組織の配置

国内大手電機メーカーC社は、事業領域と事業エリアのマトリクス型で調達領域が多岐にわたり、総体的に遠心力が働きがちな状況下にあったが、「品目」×「機能」×「データ」の3つの観点で効率的な集約化とガバナンス強化を進めた（図表4－10）。

「品目」については、先述の定石通り供給市場に合わせてグローバル・リージョナル・

図表4-10
## グローバル調達における先進事例：電機メーカー

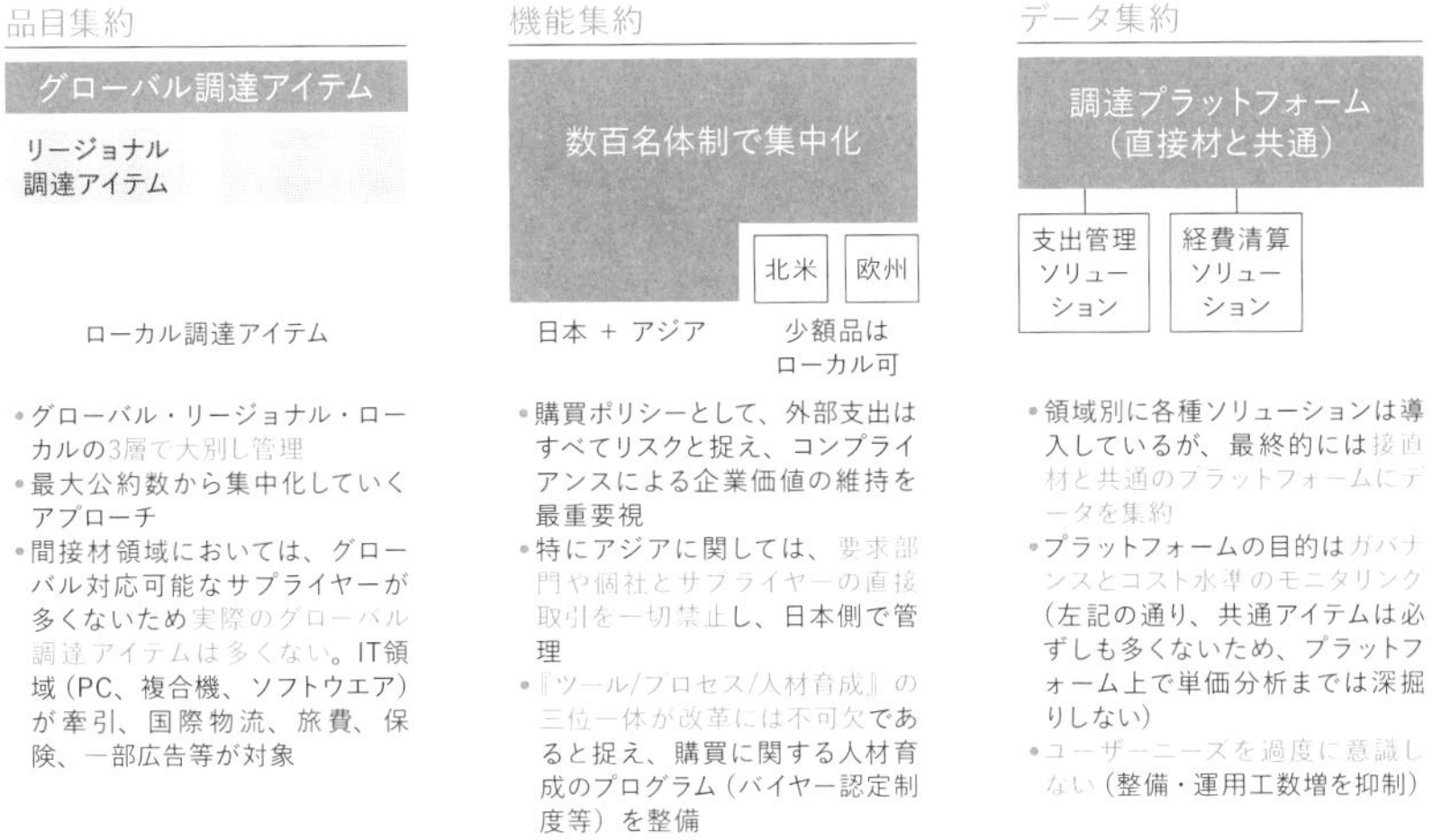

品目集約
グローバル調達アイテム
リージョナル調達アイテム
ローカル調達アイテム
・グローバル・リージョナル・ローカルの3層で大別し管理
・最大公約数から集中化していくアプローチ
・間接材領域においては、グローバル対応可能なサプライヤーが多くないため実際のグローバル調達アイテムは多くない。IT領域（PC、複合機、ソフトウエア）が牽引、国際物流、旅費、保険、一部広告等が対象
機能集約
数百名体制で集中化
北米
欧州
日本 ＋ アジア
少額品はローカル可
・購買ポリシーとして、外部支出はすべてリスクと捉え、コンプライアンスによる企業価値の維持を最重要視
・特にアジアに関しては、要求部門や個社とサプライヤーの直接取引を一切禁止し、日本側で管理
・『ツール/プロセス/人材育成』の三位一体が改革には不可欠であると捉え、購買に関する人材育成のプログラム（バイヤー認定制度等）を整備
データ集約
調達プラットフォーム（直接材と共通）
支出管理ソリューション
経費清算ソリューション
・領域別に各種ソリューションは導入しているが、最終的には直接材と共通のプラットフォームにデータを集約
・プラットフォームの目的はガバナンスとコスト水準のモニタリング（左記の通り、共通アイテムは必ずしも多くないため、プラットフォーム上で単価分析までは深掘りしない）
・ユーザーニーズを過度に意識しない（整備・運用工数増を抑制）

出所：ボストン コンサルティング グループ

ローカルの3層に峻別し管理を進めた。次に「機能」については、特に後工程側のオペレーション領域では、グローバルで調達サービス会社に対するBPO（外部委託）化を進め、社内リソースは企画・戦略策定の絡む前工程側に可能な限り寄せる施策を推進した。

同社においては、購買ポリシーとして外部への支出をすべてリスクと捉え、コンプライアンスを通じた企業価値の維持を最重要視する姿勢を貫いたことから、依然リスクの高いアジアに関しては、要求部門や子会社とサプライヤーの直接取引を一切禁止し、日本側で管理する形態に改めた。

当然オペレーションコストは一時的にはかさむが、それでもリスク低減、もしくはリスク顕在化に伴う二次的なコストオーバーを抑制することを優先している。

「データ」については、直接材調達のERPをベースとしながら、間接材や広く調達に関連する経費精算についても、それぞれの領域別システムは残しつつ、共通化用のデータプラットフォームに連携し、グローバル統合を進めた。このプラットフォームは、ガバナンスとコスト水準のモニタリングを目的としたものであり、現状、それがうまく機能している。

## 応用編②：調達状況をタイムリーにプライシングに反映

将来を見据えると、供給制約とグローバルでの需要増から、長期的にはインフレ局面が続くのは避けがたい環境である。インフレ環境下においては調達部門だけがキャッシュ流出の防波堤として頑張っていても収益確保はいずれ行き詰まる。

既に解説した通り、コスト面ではインフレ対策を進める一方で、インフレ環境に適したプライシングの活用により収益率を改善している例が目立ってきている。そのような場合、当然のことながら、自社の製品・サービスの置かれた状況やB to B／B to Cの別、また特に顧客と自社および競合とのパワーバランスを見きわめながらプライシングの見直し余地を検討していくこととなる。

そして、それらの検討は、前述同様、調達部門だけでは難しく、生産部門・サプライチェーン部門はもちろんのこと、特にこれまで登場人物として表れていないマーケティング側などとの組織横断的な取り組みが必ず求められることとなる。

### インフレへの対応――5つの検討ステップ

インフレへの対応は大きく5つのステップで進めていく（図表4－11）。

第1段階は、サプライチェーンリスクのモニタリング（A）である。サプライチェーン部門やリスク管理部門などに専門チームを設置し、リスクを明確にマッピングのうえ、緊急度もしくは優先度の高いリスク要因とサプライチェーンのレジリエンス（耐久性、回復力）を特定することが起点となる。なお、リスクにはサプライヤーそのもののリスクだけでなく、災害や地政学・政府財政のリスクや、産業分野全体のリスク（例えば需給バランス、寡占サプライヤーへの依存、テクノロジー変革など）も複眼的に捉えておく必要がある。

次に、原材料・部品調達コストの詳細把握のステップ（B）に進む。具体的には、サプライヤーや調達部材のグループごとにコスト増加もしくは供給リスクを可視化する必要がある。そのうえで、この時点で経営陣も巻き込み、コアサプライヤーとも情報交換のうえ、

図表 4-11

**インフレ・コントロールタワー**
**インフレ対策としてコスト削減を推し進めることに加え、プライシングの最適化を実施することで、収益率を大幅に改善できる**

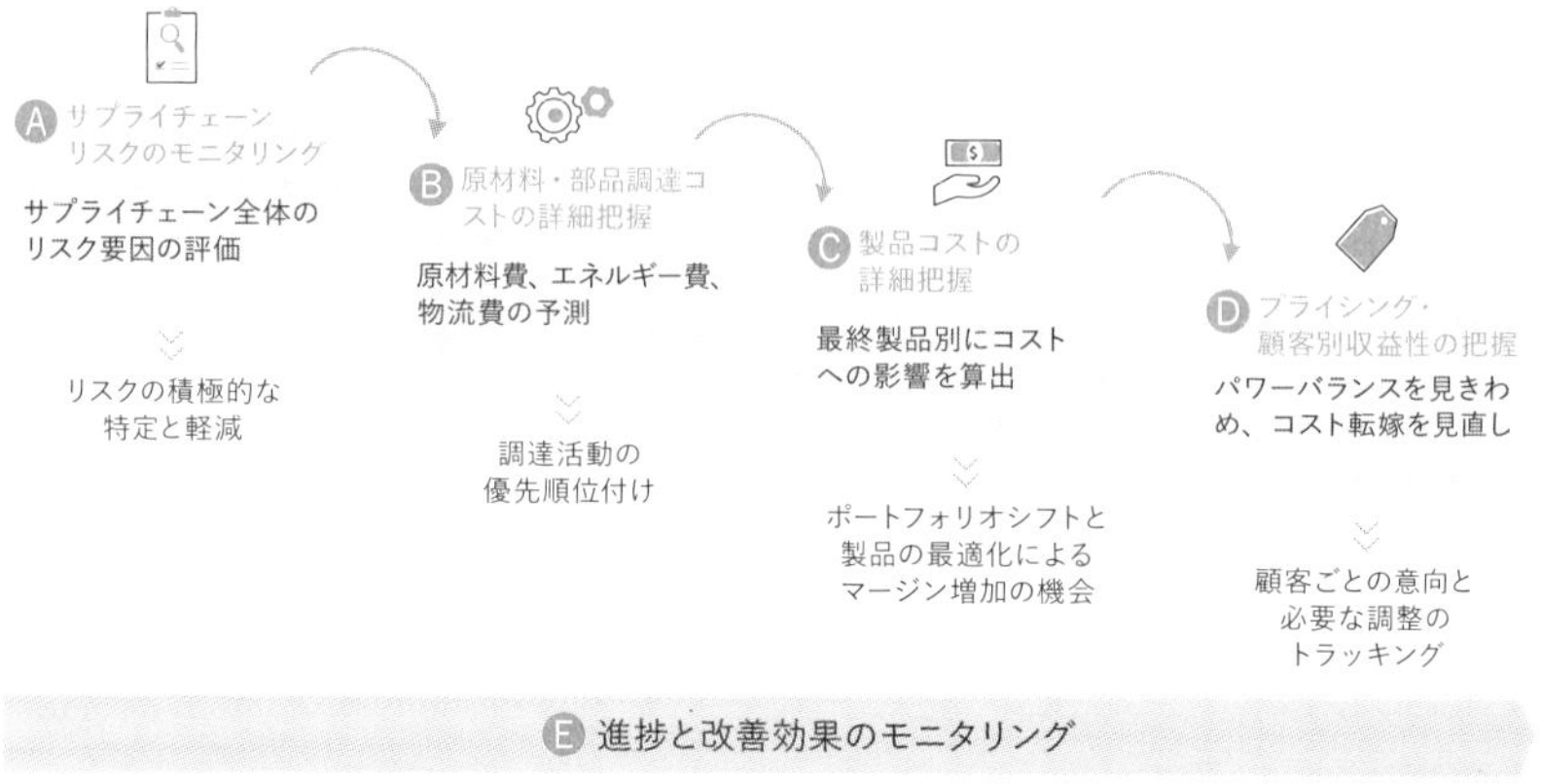
A サプライチェーンリスクのモニタリング
サプライチェーン全体のリスク要因の評価
リスクの積極的な特定と軽減
B 原材料・部品調達コストの詳細把握
原材料費、エネルギー費、物流費の予測
調達活動の優先順位付け
C 製品コストの詳細把握
最終製品別にコストへの影響を算出
ポートフォリオシフトと製品の最適化によるマージン増加の機会
D プライシング・顧客別収益性の把握
パワーバランスを見きわめ、コスト転嫁を見直し
顧客ごとの意向と必要な調整のトラッキング
E 進捗と改善効果のモニタリング

出所：ボストン コンサルティング グループ

危機意識をともにしておくことが肝要である。そして、サプライヤーからの値上げ要請があった場合、供給市場の環境を踏まえたうえで、一貫した戦略をもって対応することが重要だ。

第3段階は、製品コストの詳細把握（C）となる。製品／サービス別（もしくは顧客別）の原価構成要素を手元に置き、インフレ影響後のコストおよび製品／サービス別（もしくは顧客別）の収益率をシミュレーションすることとなる。

なお、製造業においてもプロセス型連産品の工程を持つ素材・化学工業や食品製造・製薬、設備などの固定費比率の高いインフラ産業、設備型のサービス産業などにおいては、その原価計算の複雑さ・難しさから、個々の製品やサービスメニュー単位での価格への反映に時間を要するケースが多い。

また、そもそもコスト配賦がオペレーション構造の実態を反映しきれておらず、製品やサービスメニュー単位での収益性が正確に把握できていないケースもまま見受けられる。そのような場合は、まず原価計算制度や配賦基準を見直す必要がある。この時点でどこまで前準備ができているかが、インフレに対して機動的に対応できるか否かの勝負を決する。

そして第4段階が、製品プライシング・顧客別収益性の把握である（D）。まず、顧客と自社とのパワーバランスを客観的・大局的に見極めたうえで、インフレ影響の販売価格への転嫁可否を評価する必要がある。加えて、先述の原価計算とも連動する形で製品・サービスのコストや収益状況を先読みしておくことで、インフレが激しい環境下においても、より迅速に販売価格の検証や見直しが可能となる。この領域においては、インフレ対応管理室などの専任チームを配し、常時シミュレーションを行っているケースもある。

また、B to Bの商材など、顧客との契約上可能な場合は、原材料費やエネルギーコスト、物流費や人件費上昇などをあらかじめ柔軟にサーチャージとして単価設定に織り込むことが可能な契約を取り入れているケースがある。

最終の第5段階が、進捗と改善効果のモニタリング（E）だ。定期的に進捗をモニタリングし、経営陣への報告を上げ、機動的に意思決定を仰ぐ。ここでの意思決定の遅れはそのまま収益性の悪化へと直結することもあり、火急的な状況下においては、前述の第1段階から第4段階までの情報を一箇所に集中させその場で迅速に判断を行うため、「ウォールーム（統合指令室）」を置くケースも見受けられる。また、そもそも長期的なインフレ局面が避けがたい環境であることから、明確な役割と責任を配したうえで、モニタリングによるＰＤＣＡを継続的に回していくことは必須といえる。

## マーケティングと連携し、コスト増の転嫁などを機動的に実施

前述の５つの検討ステップのうち、従来の組織間連携の一段階上へのステージアップが求められるのが、マーケティング部門との連携といえる。元来、調達部門は生産部門・サプライチェーン部門と同じ組織の傘に収められていることが多く、マーケティング部門までの連携となると、本部をまたがる、すなわち所管役員をまたがる取り組みが求められるといえる。

しかしながら、収益率の改善にあたって、最終的には対顧客のプライシング交渉戦略まで一気通貫で通す必要がある。マーケティング部門で、競合状況も踏まえた製品・サービス別（もしくは顧客別）にプライシング戦略を策定し、それを営業部門に営業ツールとして、また対顧客交渉（もしくは対顧客プロモーション）にまで落とし込んでいく必要があ

る。

これら、調達部門やサプライチェーン部門から始まるバリューチェーンを組織の壁を越えてマーケティング部門まで下っていくには、経営トップの積極的な関与がポイントとなることは想像に難くない。

＊　＊　＊

これらの取り組みは従来の調達部門の活動とはまったく異なる全社的な運動となるため、トップのコミットメントやサポートが不可欠だ。一足飛びに本格展開を目指すのではなく、段階的な機運醸成も必要なため、当初半年で「実行の地ならし」、その後1年～2年で「本格展開」を行い、状況を踏まえつつ、応用編に進んでもらいたい。

## おわりに

「変革の第1歩は正しい現場認識から」と言われる。

長い間クライアントをご支援し、議論する中で、トップマネジメントの調達やサプライチェーンの重要度への理解が不足していることを痛感してきたが、最近になってようやくその潮目が変わりつつある。日本企業にとって、オペレーションの領域がもはや必ずしも強みではなく、特にデジタルやデータの活用においてグローバルに後れをとっていることを認識し、本書で述べたような複雑性に対応するために機能をアップグレードしなければならないことに気づかれる経営者が段々と増えてきた。が、同時にまだまだ足りないとも思う。

本書は、ＢＣＧのグローバル調達チームが著した"*Profit from the Source: Transforming Your Business by Putting Suppliers at the Core*" Harvard Business Publishing, 2022に着想を得て、日本企業の課題や日本企業の皆様に伝えたいことをベースに書き換える形で執筆した。そのまま翻訳版を出さなかったのは、ひとえに日本企業に対する強い思い、なんとか彼我のギャップを理解し、正しい現状認識を持っていただき、変革の第1歩を踏み出していただくきっかけとしてほしい、という思いからである。翻訳だけでは、日本企業に自分ごととして理解していただくのが難しいと考えた。

変革はもちろん容易ではない。しかし、これはチャンスでもある。調達を取り巻くリスク、複雑性を、オペレーションを大きく改革するためのトリガーと捉えれば、大きな成果を得られるチャンスとなる。そのためには、逆説的だが、調達部門に任せるだけでは変革は起きない。部門横断的な取り組みとして、トップマネジメントが直接関与し、変革をリードし、調達部門を後押しする形が必要である。本書でも幾度となく述べたように、調達はもはや経営アジェンダなのである。

最後に、現状における調達の変革の重要性を素早く理解し、本書の出版を後押しいただいた日経ＢＰの赤木裕介さんに、深く感謝を申し上げたい。また、本書の執筆にあたって多大な協力をしてくれた、ＢＣＧ調達チームのプロジェクトリーダー陣（柴原優子さん、中村久子さん、樋口和彦さん、渡邉昌平さん）にも、この場を借りて感謝申し上げたい。

ＢＣＧジャパン　調達チーム　内田康介、山田貴之、高木努

【執筆者略歴】

## 内田康介（Uchida, Kosuke）

BCGマネージング・ディレクター＆シニア・パートナー。BCGオペレーション・プラクティスの北東アジア地区リーダー。京都大学文学部卒業。コーネル大学経営学修士（MBA）。NTTコミュニケーションズ株式会社を経て現在に至る。産業財・自動車プラクティス、エネルギー・プラクティスのコアメンバー。製造業、エネルギー業界を中心に、多くの業界にわたって、サプライチェーン、調達などのオペレーション変革、（特にデジタルによる）トランスフォーメーション、クライシスマネジメント等のプロジェクトを手掛けている。

共著書に『BCGが読む経営の論点2024』『BCGが読む経営の論点2021』（いずれも日本経済新聞出版）ほか。

## 山田貴之（Yamada, Takayuki）

BCGマネージング・ディレクター＆パートナー。東京大学経済学部卒業。外資系コンサルティングファームなどを経て2020年にBCGに入社。BCGオペレーション・プラクティス、トランスフォーメーション・プラクティス、産業財・自動車プラクティス、ヘルスケア・プラティスなどのコアメンバー。製造業やサービス業、製薬、商社、金融、通信、鉄道など広範な業界におけるオペレーション領域の改革を得意とする。調達を基軸とした業務改革や、コスト削減の計画立案から実行まで一貫した支援を多く手掛けている。

## 高木 努（Takagi, Tsutomu）

BCGパートナー＆アソシエイト・ディレクター。専門領域は調達。東京大学法学部卒業。日本生命保険相互会社を経て、2008年にBCGに入社。BCGオペレーション・プラクティス、パブリックセクター・プラクティス、ヘルスケア・プラクティスなどのコアメンバー。自治体、学校法人などの公的部門、製薬業界、病院、製造業等の幅広い業種に対し、調達改革や全社構造改革等、さまざまなオペレーション改善のプロジェクトを数多く手掛けている。

## クリスチャン・シュー（Christian Schuh）

BCGマネージング・ディレクター＆シニア・パートナー。BCGウィーン・オフィス所属。オーストリア グラーツ工科大学工学部卒業。同大学経営学博士。中国、ロシア、米国で、自動車、建設機械、防衛、テクノロジー、鉄鋼などの幅広い業界の企業の調達変革プロジェクトを支援してきた。
共著書に『Profit from the Source』（Harvard Business Review Press）をはじめ、調達に関する専門書が6冊ある。サプライチェーンと調達をテーマにしたYouTubeチャンネル「Procurement in the Park」を運営。

## ウォルフガング・シュネルバッハ（Wolfgang Schnellbacher）

BCGマネージング・ディレクター＆パートナー。BCGシュツットガルト・オフィス所属。中央ヨーロッパおよび中東地区における調達トピックのリーダー。ドイツ ヨハネス・グーテンベルク大学経済学部、同大学大学院修了。シュツットガルト大学で調達とゲーム理論に基づく交渉に関する研究を行い、博士課程を修了。産業財、石油・ガス、消費財などの業界のグローバル大企業の支援を行っている。"Jumpstart to Digital Procurement"など、調達に関する複数のBCG論考を共著。共著書に『Profit from the Source』（Harvard Business Review Press）。

## ダニエル・ワイス（Daniel Weise）

BCGマネージング・ディレクター＆シニア・パートナー。BCGの調達トピックのグローバルリーダー。BCGデュッセルドルフ・オフィス所属。ドイツ WHU-オットー・バイスハイム経営大学院修了。ロンドン・ビジネススクール修了（MSc）。産業財、エネルギー、消費財などの業界、および公的機関を支援している。また、調達とサプライチェーン・マネジメントに特化したBCGの子会社、インベルトの最高経営責任者でもある。BCG論考"Jumpstart to Digital Procurement"、およびサプライチェーンの持続可能性に関する世界経済フォーラムのレポートの共著者。共著書に『Profit from the Source』（Harvard Business Review Press）。

【執筆協力】
柴原優子 BCGプロジェクトリーダー
中村久子 BCGプロジェクトリーダー
樋口和彦 BCGプロジェクトリーダー
渡邉昌平 BCGプロジェクトリーダー

【編者紹介】

## ボストン コンサルティング グループ
## 調達チーム

ボストン コンサルティング グループ（BCG）は、
ビジネスや社会のリーダーとともに戦略課題の解決や成長機会の実現に取り組んでいる。
1963年に戦略コンサルティングのパイオニアとして創設され、
今日では、クライアントとの緊密な協働を通じて
すべてのステークホルダーに利益をもたらすことをめざす変革アプローチにより、
組織力の向上、持続的な競争優位性構築、社会への貢献を後押ししている。

調達チームはBCGオペレーション・プラクティスにおける
調達トピックに関するエキスパートチームであり、
世界各国で幅広い業界の企業の調達改革を支援するほか、
支援の経験や調達に関連する調査研究を書籍や論考などの形で発表している。

https://www.bcg.com/ja-jp/

# BCG流 調達戦略
## 経営アジェンダとしての改革手法

2024年6月25日　第1版第1刷発行

編者――――――――ボストン コンサルティング グループ　調達チーム

発行者――――――――中川ヒロミ
発行――――――――株式会社 日経BP
発売――――――――株式会社 日経BPマーケティング
〒105-8308　東京都港区虎ノ門4-3-12
https://bookplus.nikkei.com

装丁――――――――野網雄太（野網デザイン事務所）
本文DTP――――――朝日メディアインターナショナル
印刷・製本――――――シナノ印刷株式会社
編集担当――――――赤木裕介

ISBN978-4-296-00204-7　Printed in Japan

本書籍に関するお問い合わせ、ご連絡は下記にて承ります。
https://nkbp.jp/booksQA